LE CHANT DE L'ÊTRE

« Espaces libres »

SERGE WILFART

LE CHANT DE L'ÊTRE

Analyser, Construire, Harmoniser par la voix

Albin Michel

Albin Michel
▪ *Spiritualités* ▪

Collections dirigées par Jean Mouttapa
et Marc de Smedt

Première édition :
Éditions Albin Michel, S.A., 1994
22, rue Huyghens, 75014 Paris

ISBN 2-226-09441-5
ISSN 1147-3562

Préface

Dans un studio de Radio-France, j'ai fait la connaissance de Serge Wilfart. Dans une même émission improvisée en direct, avec la complicité d'un journaliste trop heureux d'associer, de rassembler – peut-être, dans son esprit, de réconcilier – Traditions d'Orient et d'Occident, nous nous sommes rejoints dans un même discours sur le souffle-énergie, la verticalité, la présence à soi-même et la révélation ici/maintenant de notre nature profonde, de notre nature originelle.

La méthode exposée dans cet ouvrage est très imprégnée de ce que mon Maître, le moine japonais Taisen Deshimaru, appelait l'« essence du Zen ». Ce n'est pas un hasard si le livre de chevet de Serge Wilfart, celui dont il fait lire à haute voix quelques passages par ses élèves, n'est autre que Le Zen dans l'art chevaleresque du tir à l'arc *d'Eugen Herrigel. Le ténor d'opéra, le professeur au Conservatoire, enseigne aujourd'hui bien autre chose que le chant. Son travail sur le son et la voix nous aide à percevoir et à parcourir un « itinéraire du dedans ». En ce sens, on pourrait dire que c'est un révolutionnaire, c'est-à-dire qu'il nous entraîne dans une révolution, un retournement radical par une remise en question de notre voix « profane », qui n'est souvent que le reflet d'une personnalité superficielle, égolâtre et artificielle. Tout l'art de*

Serge Wilfart consiste à nous permettre de retrouver, mieux de révéler, la voix juste de notre être profond, véritable, par un processus graduel et global de reconstruction. Il s'agit d'une mort à soi-même et d'un lâcher prise pour un mieux-être. A n'en point douter, la voie *qu'il nous ouvre est initiatique...*

Dans la méditation assise Zazen, l'attitude juste du corps, la respiration juste et l'attitude juste de l'esprit sont intimement liées. L'unité du corps et de l'esprit, Serge Wilfart ne se contente pas de la reconnaître, il la met également en pratique. L'idée de cette unité, l'Occident moderne ne l'a pas toujours vraiment intégrée; ces conceptions unitaires, qui font aujourd'hui florès dans beaucoup de domaines que le Nouvel Age a investis, ne sont bien souvent que de charmants discours. Le dualisme cartésien est toujours tenace. Réaliser cette unité aboutit à ce que les Maîtres Zen définissent comme la sagesse du corps, pas seulement dans le sens de « mens sana in corpore sano », *pas seulement dans le sens d'une attention accordée à une certaine hygiène de vie, mais aussi dans le sens de « penser avec le corps », comprendre avec le corps.*

La démarche de Serge Wilfart, qui construit et harmonise par le son et la voix, ainsi que le précise le sous-titre de son livre, s'appuie, comme pour la méditation, et comme cela devrait être pour la prière, sur le souffle. Finalement il apprend à respirer et, en apprenant à respirer, il nourrit la vie en éveillant des forces qui reposent en nous. Ces forces vont s'exprimer par la beauté du son, en induisant naturellement la sagesse de l'esprit. En sanskrit, le souffle se dit prana, *et la sagesse* prajna, *une homophonie qui prend ici toute sa saveur et toute sa* réso-nance.

La respiration est un acte qui réalise en quelque sorte concrètement l'unité, en établissant un échange, une communion permanente, qui relie harmonieusement cons-

cience individuelle et conscience universelle. Harmonie est un mot que Serge Wilfart affectionne tout particulièrement. A l'intérieur, tout à l'intérieur, il recherche la voix sans ego, celle de l'être libéré, en harmonie avec la terre et le ciel, capable de sentir la nature du dedans et de percevoir son unité sans failles avec l'univers. Ce sentiment d'harmonie, ce sentiment de plénitude et de mieux-être, favorise une meilleure relation à l'autre, une qualité de relation sans laquelle il ne peut y avoir de dialogue véritable dans l'amour et la sympathie.

Sur les traces d'un prince des confins du Népal qui décelait il y a vingt-cinq siècles, dans ce corps mortel, le chemin qui conduit à l'éternelle Lumière, Serge Wilfart se situe dans la grande lignée des Éveilleurs de ce crépuscule du XXe *siècle.*

Jacques Deperne,
proche disciple du Maître Zen Taisen Deshimaru.

Avant-propos

« Professeur de chant... ou, plus exactement, professeur de voix. » Telle est ma réponse, lorsqu'il arrive que l'on me demande mon métier. Surprise de l'interlocuteur : comment peut-on enseigner la voix? La cause, en effet, est entendue : on a une voix ou on n'en a pas. La nature nous a dotés d'un bel organe, et nous pouvons chanter; ou bien elle ne nous a guère gâtés sous ce rapport, et nous ne pouvons que parler. Alors, prétendre être capable de donner de la voix à quelqu'un qui, par constitution, paraît en être dépourvu, suscite au premier abord un étonnement légitime.

Et pourtant le phénomène vocal est un et indivisible. Il n'y a aucune raison d'être expert en parole et, dans le même temps, de se croire inapte au chant. Qui chante mal parle mal, respire mal, se tient mal, est mal « dans sa peau ». Non seulement, il est possible pour chacun de chanter, mais la récupération de la voix chantée s'accompagne aussi nécessairement d'une restauration de la voix parlée, d'un épanouissement de la fonction respiratoire, d'une rectification de la verticalité corporelle et, plus généralement, d'un retour de l'Être à sa vérité première. Le professeur de voix s'apparente à une sorte de luthier qui reconstruirait à la fois l'instrument et le musicien.

Les affirmations qui précèdent ne sont pas proférées

gratuitement, pour le seul plaisir de choquer. Au contraire, elles s'appuient sur la pratique de longues années d'enseignement public et privé, sur l'organisation de stages, sur des recherches en milieux universitaires, sur des témoignages médicaux et paramédicaux. La matière de cet ouvrage est faite de l'observation de centaines de cas et des expériences auxquelles je me suis livré et me livre encore sur moi-même.

Dans ce livre, le mot *chanteur* n'est pas employé dans son acception habituelle. Il ne se réfère nullement à une personne qui veut pratiquer le chant pour en faire sa profession principale ou accessoire. Par *chanteur,* nous entendons tout être humain aspirant à cet état de bien-être et de rééquilibrage corporels, psychiques et spirituels que permet l'expression vocale.

Si, à l'occasion, je me réfère à des doctrines traditionnelles, notamment orientales (le hara et le k'i des Japonais, leurs arts martiaux, la théorie des chakras et le yoga du souffle), c'est dans l'exacte mesure où j'ai pu en vérifier tout le bien-fondé au cours de mes travaux.

Mais je n'éprouve *a priori* aucun attrait pour les exotismes spirituels, je ne suis pas séduit par les pratiques approximatives et les théories fumeuses des marchands d'illusions et autres camelots du bazar ésotérique. « A beau mentir qui vient de loin », dit l'adage. Moi, je suis d'ici-tout-près et de maintenant-tout-de-suite. Ce livre reflète mon travail, mes recherches, ma vie. C'est pourquoi il commencera par un aperçu autobiographique. Pourquoi avoir choisi ce métier? Et pourquoi le pratiquer hors norme? Je ne puis faire état de mes motivations profondes sans remonter le cours de ma vie, qui ne fut pas précisément un long fleuve tranquille...

I.
Trouver sa voix

Je suis né dans un petit village belge, à proximité immédiate de la frontière française. Mes parents m'ont déclaré un 6 septembre, mais il semblerait que j'aie vu le jour la veille : à peine venu au monde, je me trouvais, à mon corps défendant, en situation administrative irrégulière.

Dès mes premières années, j'ai vécu dans une sorte de no man's land mental : de nationalité belge, j'habitais à deux ou trois kilomètres de la douane française et, de ce fait, je n'ai jamais éprouvé qu'indifférence à l'égard de mon appartenance au royaume de Belgique. Lorsque, plus tard, il me parut opportun de devenir français, je compris que, dans mon cas, le mot « naturalisation » s'entendrait dans le sens de « retour à ma nature ». Néanmoins, je réside toujours en Belgique, à Tournai, dans une cité qui, aux temps mérovingiens, fut la première capitale de la *Francia.* D'ailleurs, quelle est la réalité de cette frontière politique, que ne justifient ni la langue, ni le paysage, ni les mœurs? A l'époque de mon enfance, mon village était une commune rurale peuplée d'ouvriers frontaliers qui, chaque jour, s'en allaient travailler en France, dans la métropole du Nord, très textile en ce temps-là. Ces allers et retours quotidiens, qui démontraient la perméabilité de la démarcation administrative, accentuaient encore son insignifiance.

Mon père lui-même apprit son métier en France. Orphelin très jeune, il fut un vrai autodidacte, qui parvint à lire et à écrire seul, qui exerça, pour se débrouiller dans la vie, un grand nombre de professions, dont celle de serrurier. Il fut aussi berger – ce qui faisait bien rire mes parents : ma mère, en effet, s'appelait Mélanie, comme la patronne des bergers.

Très adroit de ses mains, mon père travailla entre autres dans une usine française qui fabriquait des ressorts. Il y devint vite contremaître puis décida de fonder sa propre entreprise de ressorts en association avec son beau-frère qui, fait rarissime à l'époque dans notre milieu, détenait un diplôme d'études secondaires. Mon père sillonna la Belgique à vélo en tous sens pour trouver des clients. Petit à petit, à force de talent et de ténacité, son entreprise se développa et s'affermit. Elle existe toujours. J'ai donc passé mon enfance dans le ressort, dans la spirale métallique, dans les spires à l'infini.

Étrangement, l'incessant mouvement d'expansion-compression des ressorts n'a cessé de fasciner ma vie : le métal s'est fait os et muscle, le cylindre est devenu tronc humain. Mon industrie à moi n'est pas de fabriquer, mais de vérifier et de restaurer. Ainsi suis-je toujours dans le ressort : absorption du travail et production d'un mouvement.

Ma mère, cadette d'une fratrie de douze enfants, est issue d'une famille de sabotiers flamands. Elle aussi a durement travaillé toute son enfance, aidant ses parents à évider le bois. Elle a fait de la couture et élevé des enfants. Elle avait une très grande voix malgré une timidité teintée de fausse froideur. Quand elle se fâchait, c'était une voix wagnérienne, comme celle de mes oncles maternels, tous sabotiers, qui tonitruaient dans les fêtes de famille. J'eus révélation de cette voix lorsque mon père mourut. Ce fut un choc énorme et horrible. Le jour de l'enterrement, au moment où l'on sortit le cercueil de la maison par la fenêtre de la salle de séjour, ma mère, restée dans une arrière-cuisine, poussa un cri, un seul. Un long hurlement de bête déchirée. Bien plus tard, je pus analyser cet ébranlement et comprendre que c'était son corps qui, à cet instant, avait vibré, terriblement vibré, dans la douleur et le désarroi. Ce cri unique et désespéré est resté, pour moi, l'exemple auquel je me réfère quand, dans mon métier, je suis confronté au cri.

Mes études furent chaotiques. La scolarité primaire se passa en partie dans mon village, à l'école des Frères maristes, en face de notre maison, puis en pensionnat, à quelques kilomètres de là, chez les Frères des écoles chrétiennes. Mes parents, qui m'avaient eu âgés (ma mère avait plus de quarante ans à ma naissance), jugèrent expédient de me mettre en pension, car je n'étais guère facile à vivre.

Je suis resté en internat pour effectuer mes études secondaires, d'abord dans un collège situé à une cinquantaine de kilomètres de mon domicile. J'avais décidé de n'y rien faire, par révolte contre la vie de pensionnat. Ensuite, je me suis retrouvé chez les jésuites, qui ne supportèrent pas que j'aie une petite amie; les temps ont bien changé depuis. Mis à la porte de cette institution ascétique, je fus accepté dans un établissement officiel d'enseignement secondaire après réussite d'une série d'examens de passage, les programmes n'étant pas identiques dans deux réseaux d'enseignement différents. En porte à faux dans un certain nombre de matières, plus exilé que jamais, j'étais complètement écœuré. Je fis donc une pause après mes trois premières années d'humanités : je jouais à la manille dans les cafés au lieu d'aller en classe. En vérité, je me sentais désemparé. Qu'allais-je devenir? J'aurais voulu être médecin. Mais je n'étais manifestement pas fait pour un cursus normal ou plutôt pensais-je, en renversant la proposition, la plupart des professeurs n'étaient pas faits pour un élève de mon acabit.

Étais-je un enfant révolté? J'ai en tout cas vécu la pension comme une sorte d'abandon. A mes yeux, mes parents, et surtout ma mère, m'avaient rejeté. Ma « paresse » persistante et mon nomadisme scolaire traduisaient une objection de conscience sournoise et résolue. Après une période de flottement, je m'inscrivis au Conservatoire. Inconsciemment, l'attrait pour la voix m'y poussait : alors que j'avais onze ans, le directeur d'une chorale scolaire m'ayant découvert une jolie voix me fit chanter en soliste, rares moments de bonheur dans la grisaille de ma vie de pensionnaire. Par la suite, j'accompagnais mes parents à Lille, chaque fois qu'ils allaient y écouter des opérettes. Le spectacle me ravissait. Sans doute ces souvenirs m'ont-ils poussé à chanter. Par ailleurs, travailler sur sa voix, c'est réapprendre à aimer son corps, ce qui postule qu'on a développé à un certain moment une haine, une indifférence ou un malaise vis-à-vis de lui. C'était mon cas : à partir de ma mise en pension, j'avais brusquement basculé dans la boulimie. J'étais devenu très gros à l'époque de ma communion solennelle. En quelques mois, je débordais de mes vêtements neufs. Le choix du chant résultait, pour moi – je l'ai compris ces dernières années –, d'une envie de me sentir à nouveau bien dans mon corps.

Quoi qu'il en soit, dès l'instant où j'entrai au Conservatoire, je décidai que la voix serait mon métier, ce qui indisposait copieusement le vedettariat local : on me jugeait prétentieux et irréaliste, surtout quand on sut que j'ambitionnais de fréquenter les cours du Conservatoire supérieur. Ma détermination pourtant ne faiblit jamais. Mon destin professionnel se dessinait à mes yeux avec une logique implacable : je ferais du chant et du théâtre. J'obtins effectivement au niveau secondaire un premier prix de solfège, chant et art dramatique puis, au niveau supérieur, les premiers prix de chant, mélodie et art lyrique ainsi que, en art lyrique, quelques prix spéciaux. Peu à peu, en poursuivant mes cours, je suis entré dans le métier. Je dois dire que mes parents n'entravèrent en rien mon choix et qu'ils m'aidèrent sans réticence dès qu'ils sentirent en moi une résolution à toute épreuve.

Ma carrière lyrique ne fut pas l'époque la plus intéressante de mon existence. J'ai maintenant l'impression que quelqu'un d'autre l'a vécue. Je me souviens de spectacles à Mons, à Gand, à Liège, à Bruxelles et à Charleroi. Je me suis produit dans de nombreuses villes françaises, notamment à Mulhouse, ainsi qu'aux Pays-Bas, chantant des opérettes, des opéras comiques, des oratorios... Mais c'était décidément un autre que moi qui chantait, qui jouait alors, avec une voix de ténor léger. Comment expliquer cette impression qui, depuis, s'est muée en certitude?

Dès l'âge de dix-sept ans, à mon entrée au Conservatoire, j'avais l'intention de m'orienter vers le répertoire dont je me délectais alors et qui me plaît toujours : Verdi, Wagner, Bizet... Or, j'ai constaté, depuis que je travaille avec mes élèves, que, dans de nombreux cas, ils écoutent de préférence les voix qui correspondent à leur personnalité vocale profonde. Celui qui apprécie les grandes basses alors qu'on le fait chanter dans un autre registre révèle souvent par la suite qu'il possède en réalité une voix de basse. Cette observation se vérifie pratiquement dans tous les cas, sauf chez ceux dont l'écoute a été déformée au préalable par une longue pratique du chant.

En ce qui me concerne, j'écoutais donc les grands opéras italiens, les bons ténors; malheureusement, mes chers maîtres m'ont complètement détourné de cette « vocation ». Ce fait s'explique par une méconnaissance assez générale de la technique vocale : beaucoup de professeurs n'avaient fait aucune carrière; ils participaient à un système scolaire clos où des enseignants sans aucune pratique formaient de futurs enseignants qui plus tard distribueraient leur « savoir » sans s'être, eux non plus, risqués à la moindre expression artistique, produisant ainsi toute une lignée de théoriciens inexpérimentés.

J'avais affaire à un enseignement appauvri, où la tradition des bonnes et des vraies voix s'était éteinte depuis quelques décennies et ne pouvait que générer l'étouffement complet du système vocal.

Certains professeurs, il est juste de le signaler, qui étaient d'une très remarquable qualité humaine et musicale, avaient l'honnêteté d'avouer qu'ils ne connaissaient rien aux voix. On arrivait donc au Conservatoire avec une voix plus ou moins naturelle; on travaillait avec elle; on apprenait beaucoup en musicalité et en interprétation, mais sans toucher à cette voix. Résultat : dès mon entrée dans le métier, je n'arrivais plus à chanter un air sans devenir aphone.

Sur les conseils d'un collègue dont j'admirais la qualité et la technicité vocales, je décidai alors de parler de mes difficultés à celui qu'il estimait avoir été son seul vrai professeur : André d'Arkor. Lors d'une rencontre « inopinée », celui-ci accepta de m'écouter. Son verdict fut tranchant : « Comme ça, vous ne chanterez jamais plus. » Il remit ma voix en place, ce qui me permit, quinze jours plus tard, d'obtenir un prix d'art lyrique – premier nommé.

D'Arkor fut mon premier vrai professeur de voix. Je lui dois d'avoir tout de même pu faire du théâtre avec la voix qu'on m'avait laissée. André d'Arkor avait réalisé une grande carrière : les enregistrements témoignent de l'excellence de son art, issue à coup sûr d'un enseignement valable. Ce n'est pas pour rien que la cabale des médiocres l'empêcha de devenir professeur de chant dans l'enseignement supérieur.

A la fin de ma carrière théâtrale, j'éprouvais une sensation d'intense saturation. J'en avais assez de me disperser dans un répertoire qui me laissait insatisfait. Certes, on me reconnaissait excellent musicien et comédien, mais on me trouvait quelconque sur le plan vocal, ce qui est un comble en art lyrique. En somme, ce jugement contredisait formellement ma conception de la voix et réduisait à néant les motivations qui m'avaient fait choisir ce métier. J'ai vécu à ce moment-là l'écroulement total d'une personnalité fabriquée qui, dans tous les domaines, devait se reconstruire sur des bases assainies. J'expérimentai alors sur moi-même le principe, vérifié plus tard, selon lequel nous sortons tous de l'adolescence et entrons dans l'âge adulte avec une voix qui n'est pas la nôtre, reflet d'une personnalité fausse. La remise en question de la voix entraîne la destruction – ou plutôt l'effondrement – de tout l'édifice et c'est bien ce qui m'arriva sur les plans professionnel, familial et spirituel.

La thérapie analytique que je suivis à cette époque, balayant mes certitudes chancelantes, fit table rase et place nette. Je me retrouvai à l'état natif, libre et volatil..

Au même moment, je voulus entamer une démarche initiatique au sein d'une vénérable fraternité dont je connus d'abord, arrosé de bon vin, le coude-à-coude amical faussement chaleureux. Mes lectures m'avaient-elles égaré ? Trouverais-je dans ces cénacles férus de ritualisme et de gouaille positiviste la Lumière primordiale qui d'elle-même se génère et se perpétue? Je crus tout d'abord à la fable de l'auberge espagnole : je ne trouverais en ces sociétés que les erreurs et les illusions que mon imagination y aurait introduites et dont elle se délecterait en circuit fermé. Mais, après quelques années, au gré de mes errances et de mes recherches dans ce déambulatoire initiatique, il me fut donné de découvrir, en des moments privilégiés, une symbolique et une dialectique authentiquement spirituelles. Dont acte.

Tout se rejoignait dès lors : démarche physiologique, recherche analytique, quête initiatique, sous le triple signe du corps, dont la voix est la fine fleur, de la psyché, dont les embarras doivent être démêlés, et de l'esprit qui cherche à forcer le passage. Les rationalistes que je fréquentais à l'époque eurent beau jeu de me critiquer. Pour moi, le voyage intérieur dans le corps ouvre des portes donnant accès au centre spirituel à travers le dédale psycho-affectif. La reconstruction du Temple intérieur ne s'effectue pas seulement en référence symbolique aux proportions des cathédrales – démarche purement mentale – mais surtout par la connaissance de notre propre édifice corporel. Ainsi le logo choisi pour représenter ma méthode de restauration vocale ne l'a-t-il pas été au hasard; il prend toute sa signification constructive, pour le chanteur, en cours de travail : chanter – chantier.

Au terme de cette phase de grand chambardement, je m'efforçai d'abandonner une manière de paraître pour tendre perpétuellement vers une manière d'être; et j'ai souvent décelé par la suite une aspiration et une évolution comparables chez mes élèves : combien de fois n'ai-je pas été surpris et interpelé, dès mes premiers cours, par le plaisir que prenaient mes élèves à exécuter les exercices « fastidieux » qui leur étaient imposés... Ils y donnaient le meilleur d'eux-mêmes, bien plus spontanément, bien plus profondément que pour chanter des airs : ces exercices leur permettaient en effet, par leur rigueur et leur répétitivité, d'éprouver des sensations intérieures de découverte, d'épuisement et de sérénité; car ils s'exploraient, s'épuraient, se reconstruisaient par la voix.

Le tournant de ma carrière fut ma rencontre avec l'enseignement. Je venais de quitter le théâtre et mon père, qui n'avait personne pour reprendre son affaire, souhaitait m'associer à son entreprise. Le « hasard » – une proposition inattendue d'un directeur d'école de musique auquel je n'avais rien demandé – m'orienta vers l'enseignement du chant. Je me dis que cette perspective m'agréerait davantage que l'industrie du ressort. J'aurais sans doute vécu confortablement dans l'usine paternelle, mais m'y serais ennuyé. Mon frère prit le relais et je décidai de donner des cours de chant. Mais je ne pus commencer l'exercice de ce métier sans ébouriffer la coutume.

On observe souvent – pour l'exprimer schématiquement – que, sur dix candidats au cours de chant, trois sont acceptés, parce qu'ils ont « une voix », alors que les sept autres en sont privés. Pourtant, tous les dix parlent. N'est-ce pas étonnant? On affirme donc que l'individu aurait deux voix : l'une pour parler, l'autre pour chanter. Refusant cet axiome, j'acceptai tout le monde. Je constatai alors que l'élève qui se présente au cours de chant se met tout naturellement à chanter avec le même réflexe vocal et respiratoire que lorsqu'il parle. Or, il se trouve que la plupart d'entre nous emploient mal la voix parlée, qui n'est jamais qu'une séquence de la courbe totale de la voix chantée normale. Dès lors, pourquoi ne pas profiter de la pédagogie du chant pour remettre en ordre tout le système pneumophonique?

A ma grande surprise, je constatai alors que mes motivations d'enseignant étaient moins d'ordre esthétique que d'ordre éthique : dès que je faisais travailler un élève, mon réflexe n'était pas de vouloir fabriquer de l'extérieur une voix esthétiquement convenable. Dès production d'un son, j'essayais, au contraire, d'en percevoir les logiques musculaire et interne en déchiffrant les processus organiques de respiration et de phonation qui le génèrent, le tout dans la perspective de reconstruire une voix cohérente et naturelle. Cette pratique, incomprise du corps professoral, fait que je peux passer par d'horribles cacophonies pour développer, par la suite, de très beaux sons. L'éructation de tels borborygmes, éprouvante pour le chanteur lui-même, n'est ni gratuite ni inutile : elle permet de dégager la voix, de rétablir la logique d'ensemble : harmoniques graves – harmoniques aiguës, respiration-phonation, statique du corps.

Une telle expérience n'est entièrement compréhensible que pour ceux qui s'y sont prêtés. Elle dérange parfois les autres, mais obtient des résultats, tant en qualité vocale qu'en volume.

Ces progrès, les élèves les enregistrent en travaillant aussi bien en séances privées que dans l'enseignement officiel. J'appartiens, d'une part, au circuit libéral et, de l'autre, à la fonction publique. En cours privés, je propose une méthode que les gens acceptent et paient. S'ils viennent nombreux, d'horizons lointains, hommes et femmes de toutes professions, je suppose qu'ils y trouvent leur compte : ici joue uniquement la loi de l'offre et de la demande.

Mais la même matière, proposée dans une institution scolaire, est fâcheuse : les voix mises en place et provoquées par ce travail embarrassent les esthètes délicats. Les ronds-de-cuir de la pédagogie préfèrent fabriquer du joli plutôt que d'aller chercher la profondeur. Et quand je dis profondeur, il faut penser fondement : il y a dans toute voix un aspect génésique, affectif, spirituel. Or, sexualité et affectivité vibrent en des lieux où bien des gens se sentent mal à l'aise s'ils n'ont pas résolu certains problèmes. Ils réagissent alors par le rejet, ils divaguent dans le décoratif et l'exhaussement. On sait que les politiques pratiquent assidûment la fuite en avant; nos lascars tentent la fuite en haut. Mais il se fait que l'instrument humain émet des vibrations qui ne sont pas seulement intellectuelles et mentales : toute la richesse de la communication vibratoire réside dans un ensemble qui, de la sexualité, atteint le spirituel en passant par l'affectif. Pour la légion de ceux qui ne tendent pas vers cette intégration, la voix qui sort paraît impudique parce qu'elle les projette devant le miroir, notre seul juge ici-bas. Mieux vaut alors, pensent-ils, ne pas s'éloigner de certains sentiers battus...

J'ai pourtant quitté les voies toutes tracées. Je ne pouvais plus « fonctionner » dans les structures sclérosées de l'enseignement belge. La Belgique étouffe son enseignement artistique en lui imposant des carcans administratifs et en multipliant les tracasseries vétilleuses. J'ai connu le système qui attribue des heures de cours au prorata du nombre d'inscriptions, transformant par là le professeur en épicier : certains collègues qui donnaient des cours d'instruments peu demandés comme le cor ou le hautbois en étaient quasiment réduits à faire du porte-à-porte à chaque rentrée scolaire pour atteindre le quorum requis. Sinon, plus de cours... A raison d'une demi-heure par élève, il est nécessaire de rassembler quarante candidats pour conserver un horaire complet! Confronté à cette situation qui n'avait plus rien d'humain, d'artistique, de sensible ni d'efficace, je choisis la France et changeai de nationalité. Là où j'enseigne pour l'instant, la direction et l'inspection du Conservatoire comprennent ma démarche et appuient mes initiatives.

J'ai donc décidé, pour poursuivre l'exercice de ma profession d'enseignant du chant dans des conditions vivables, de changer d'air et de carte d'identité, une simple formalité à l'heure où s'édifie l'Union européenne. Il n'en reste pas moins que, là où il y a institution, subsiste pour moi un risque que j'essaie de bien analyser et que momentanément je puis encore accepter.

Au fil du temps, j'ai pu vérifier la validité de ma méthode en l'appliquant aux défaillances phoniques constatées chez les personnes dont la profession exige qu'elles projettent leur voix : enseignants, comédiens et avocats surtout. Les expériences de correction d'accent menées à Lille III et à Mons avec des étudiants étrangers de plus de cinquante nationalités différentes, les développements médicaux et paramédicaux qu'a connus mon travail ont confirmé la solidité de ses principes comme la nécessité d'en affiner constamment les modes opératoires.

Cependant, parallèlement à mes activités de professeur, je m'obstinais, seul avec moi-même, à chercher ma voix.

Comme je l'ai dit plus haut, j'avais quitté le théâtre, profondément insatisfait, pressentant d'avoir chanté durant tout ce temps avec la voix d'un autre, ou du moins avec une petite partie de ma voix seulement. Je ne pouvais réussir pleinement dans ma démarche pédagogique qu'en surmontant mes frustrations vocales. Pour objectiver le travail déjà accompli sur moi-même en solitaire et hâter la maturation de ma voix, il m'apparut nécessaire de me faire entendre d'un maestro italien. Le « hasard », une fois de plus, me vint en aide. Comme je m'ouvrais de mon projet à des amis gantois, ils me signalèrent que leur fille travaillait avec le maestro Abrami, justement chez eux à ce moment-là... J'avais trouvé mon maître!

Lors de la première audition, il posa tout de suite sa main sur ma poitrine et décréta dans son jargon : « Toi, ténor léger, ça m'étonnerait fort! » Ainsi donc, mon intuition ne m'avait pas trompé. Au cours du travail auquel nous nous livrâmes ensuite, le maestro Abrami développa en quelques mois une voix proche de celle que j'espérais, bien plus vibrante et pleine que l'ancienne. Ma voix correspondait enfin à mon physique, car la nature ne fait pas les choses à moitié : elle ne met pas de petites voix dans des corps solidement bâtis. Le chant avec Abrami, très dur à obtenir, éveilla en moi des sensations de bien-être physiologique et psychologique que je n'avais jamais connues et que je rencontre souvent chez mes élèves; mon maître m'avait imposé de perfectionner les harmoniques graves généralement négligées dans l'enseignement parce que, dans le corps, elles évoquent crûment la sexualité et que la civilisation chrétienne d'Occident n'aime pas cela. C'est comme si l'on décidait que le premier tiers du clavier d'un piano est tabou. Grâce à cette révélation que m'apportait mon maestro, je rentrais en possession de tout mon être, ma voix s'amplifiait et je pouvais enfin accéder au répertoire dont j'avais rêvé à dix-sept ans.

Mais je perçus peu à peu le caractère extérieur, épuisant et anarchique de cette approche, qui devait être compensé par une analyse méthodique, « à l'allemande », du travail respiratoire. La « belle voix » qu'avait engendrée le maestro Abrami, grâce à sa fabuleuse connaissance du métier, résultait d'une audition extrinsèque. Il pressentait très bien ce que serait ma voix, il pouvait la tirer de sa gangue, mais ne provoquait pas la prise de conscience de cette mécanique intérieure qui m'aurait permis de partir seul à la recherche de ma propre voix. Quand mon maestro est tombé malade, je me suis donc retrouvé, en très peu de temps et à mon insu, en situation vocale difficile. Si le chant italien est superbe, il exige en effet beaucoup de force et par là fragilise l'exécutant. J'étais persuadé que, par une méthode plus analytique et mieux construite de rééducation respiratoire, il devait m'être possible d'encore progresser dans la renaissance de ma voix et surtout dans la consolidation durable des acquis; il m'apparut nécessaire de tenter une synthèse équilibrée entre furia méditerranéenne et discipline germanique, auxquelles correspondent deux modes respiratoires contrastés : l'un facilité par la douceur naturelle du climat, l'autre entravé par les conditions d'humidité et de fraîcheur qui obligent à une plus grande dépense d'énergie, donc à une concentration remarquable du chanteur. Un professeur allemand avec lequel je travaillai pendant quatre ou cinq séances m'ouvrit à cette discipline respiratoire qui me faisait défaut.

Je crus alors que c'était arrivé. M'écoutant, quelque temps après, dans un enregistrement de *La Damnation de Faust* que je venais de réaliser, je fus horrifié de constater que la qualité de ma voix s'était à nouveau altérée sans que je m'en rendisse compte. Je me remis au travail, seul, en m'imposant de suivre ma méthode avec rigueur, sans me laisser perturber par aucune réaction psychologique ou physiologique. Comme pour combler mes vœux ou me mettre à l'épreuve, les embûches ne manquèrent pas. Un exemple : m'estimant prêt, je sollicitai et obtins une audition auprès d'un ami directeur d'opéra. Je souhaitais faire de temps en temps quelques spectacles pour donner une impulsion à mes cours. Ce professionnel m'écouta dans des extraits de *Carmen* et d'*Andrea Chenier.* Trouvant l'audition positive, il me proposa spontanément d'attirer sur moi l'attention de plusieurs de ses collègues. Mais, au moment de me quitter, il me conseilla tout de même de m'orienter vers le répertoire baroque ou contemporain afin de ne pas m'exposer à une comparaison avec les grandes vedettes du show-biz opéra. Je n'étais donc pas encore au point... Je n'entrai jamais en contact avec ces directeurs de théâtre auprès desquels j'étais recommandé!

Je repris le collier avec une vigueur renouvelée, m'appliquant à moi-même la méthode que j'utilisais déjà avec les autres. Après un certain temps, par un travail de recherche intérieure, j'atteignis, à quarante-huit ans, un résultat intéressant, une sorte de « point de non-retour » marqué, dans mon être physique, par le début d'une reconstruction de la colonne vertébrale, un épanouissement de la respiration et un remodelage de mon enveloppe corporelle. J'acquis alors la certitude que la voix ne peut être inculquée ni fabriquée par quelqu'un d'autre que le chanteur lui-même. Je proposai donc à mes élèves de partir en quête d'eux-mêmes, de prendre la pleine responsabilité de leur voix et de leur vie intérieure. Tâche exaltante et, pour eux comme pour moi, à jamais inachevée.

II.
Les âges de la voix

L'enfant et la voix

– Et pour le corps, que faites-vous ? m'a demandé un jour mon médecin.

– Presque rien : un peu de marche. Souvent je me dis que je devrais aller à la piscine, mais ça m'ennuie et j'ai froid. En fait, j'essaie de résoudre les problèmes de la tête (vous savez que je suis en analyse), et le corps n'a qu'à suivre.

– Et le chant... n'avez-vous jamais essayé le chant?

– Essayé non, mais j'y ai souvent pensé. Cependant, les chorales paroissiales, le soir... je n'ai jamais franchi le pas. Quand j'étais enfant pourtant, on me disait que j'avais une bonne voix et que c'était honteux, avec une voix pareille, de chahuter pendant les cours.

– Je vais vous donner une bonne adresse... Moi-même j'ai vu deux de mes patientes se transformer tellement en quelques mois que j'ai voulu en savoir davantage. L'une comme l'autre m'ont dit qu'elles allaient chanter une ou deux fois par mois chez un professeur qui donne des cours particuliers, alors j'y suis allé. Je vous le recommande...

Je n'ai pas hésité un centième de seconde. A peine rentrée chez moi, j'ai téléphoné et pris rendez-vous. Il ne m'a fallu qu'une séance, deux peut-être, pour sentir que ce que je faisais là allait tout changer, m'autoriser cette ultime conquête qui m'était refusée avec l'analyse, tant j'étais encore attachée à cette espèce de chute en soi.

Je sus tout de suite que ce travail allait me permettre d'arrêter cette analyse entamée depuis plus de sept ans.

C'était exactement comme si, au fil des séances, un lien se tissait entre le bas de mon ventre et ma tête, comme si l'enfant, ou mieux le bébé, qui s'était pétrifié au fond de moi depuis tant d'années, retrouvait enfin le droit de vivre avec toute sa force, toute sa joie, toute sa confiance, toute sa curiosité pour le monde, un bébé qui se serait aimé et pourrait enfin s'autoriser à vivre.

De séance en séance, mon bébé s'affirmait. J'ai arrêté mon analyse. Mon corps, petit à petit, se détendait, s'amplifiait, s'extériorisait, s'apaisait, commençait, timidement encore, à s'abandonner à lui-même, à la vie, au rire et au plaisir.

Un jour, vous avez voulu que je chante dans une position extrêmement pénible pour moi, assise sur un petit tabouret, les jambes repliées en dessous, les bras en croix, le dos et la tête rejetés le plus possible en arrière. Bien sûr, vous étiez là pour me retenir : c'était sans danger. Mais mon corps savait, lui, qu'autrefois il y avait eu danger et qu'il lui avait été impossible de s'abandonner dans les bras dont il savait n'être pas aimé, les bras qui n'aimaient pas vraiment ce corps de bébé et ne pouvaient donc pas l'accueillir ni lui permettre de se lâcher en toute confiance.

Le corps de ce bébé n'avait jamais été tendrement reçu ni porté. Il s'était donc raidi, durci déjà, comme pour se porter tout seul puisqu'il ne pouvait faire confiance au corps de l'autre. Alors là, comme je devais m'abandonner à un autre et en plus lui donner ma voix, il m'a semblé que sortaient en même temps toute ma peur, tout mon refus, tout mon dégoût, comme un énorme râle, un gémissement profond, qui serait remonté du bout de moi, du fond des âges, de l'origine des temps, de mon temps à moi. Quelque chose avait vacillé, ma voix n'était plus la même : une paix nouvelle m'était venue. »

Le témoignage de cette élève à la voix dure, une mère de famille très grande, très mince, décrit avec une belle précision la démarche d'une personne qui a dû compenser un manque de force par un autoritarisme entièrement factice. Cette lettre qu'elle m'a écrite détaille la manière dont a été abordé le travail sur la voix et démontre une fine compréhension du processus de libération tel qu'il a été vécu : affranchissement du corps, et surtout de cette tension qui s'était nouée en haut du schéma corporel.

Le texte indique aussi qu'à un certain stade, l'analyse ne peut plus rien apporter d'autre qu'une plus grande disponibilité à approfondir ce travail d'émancipation par le retour aux sources du cri, de la violence, puis de l'émotion primordiale qui un jour figea le corps.

Tous, à divers degrés, nous sommes à l'image de cette femme : nous portons encore en nous ce petit enfant qui ne demandait qu'à croître et à embellir en toute liberté, mais qui se retrouva à la merci du corps de l'autre, sous le « charme » de son souffle et de sa voix. Comme dans les contes, la jeune princesse s'endort un jour sous l'effet d'obscurs sortilèges et son sommeil dure tant que l'enchantement n'est pas rompu.

Enchantés? Sait-on au juste ce qui *chante en* nous, dès que nous pouvons entendre? Il semble que, dans la vie intra-utérine, l'enfant acquière tout un mimétisme respiratoire; quand il naît, le rythme de sa respiration est déjà calqué, peu ou prou, sur celui de sa mère et cette *mémoire pneumatique* paraît le marquer davantage que la voix maternelle. De celle-ci, le fœtus ne percevrait pas grand-chose; il baigne en effet dans un milieu aqueux qui filtre bien plus l'audition de la voix que, par exemple, la perception des borborygmes intestinaux, des battements de l'aorte et des contractions cardiaques. Son premier milieu sonore grouille de rumeurs organiques qui jalonnent la topographie fonctionnelle du corps maternel.

L'enfant qui naît est, sans transition, expulsé dans un monde inerte, immense et silencieux, d'où tout repère a disparu, et qu'anime seulement la stridence de ses premiers cris. La naissance est l'épreuve primitive, le rite de passage vital par excellence. Une fois franchie la « porte étroite » et avant même que ne soit tranché le lien nourricier qui l'attache encore au paradis perdu, le nouveau-né *se purifie par l'air* dans un apprentissage brutal de la respiration autonome. La sortie de cette apnée s'effectue dans et par la libération du premier cri, détenteur de toute la richesse phonémique qui se développera par la suite. A la force de ce cri, de cette violence inaugurale, correspond sans doute une vérité de l'ouverture et de l'amplitude respiratoires.

Cette vérité, le bébé la manifeste et l'affirme sans entrave durant un certain temps. Boule de souffle et de son, il émet alors un volume sonore brut sans commune mesure avec la voix étouffée qui, plus tard, sera pourtant « la sienne ». Une telle disproportion mérite étude et réflexion.

Petit à petit, vers l'âge de huit ou neuf mois, le bébé vit ses premières crises d'anxiété, souvent nocturnes, et qui correspondent, selon moi, à l'éveil de l'émotivité. Dans ces états d'angoisse, la boule d'énergie souffle-son, habituellement située dans le ventre de l'enfant, lui remonte au niveau du cou. Le bambin est littéralement *boule-versé.* Si la mère ou le père s'approche, prend l'enfant dans ses bras et se met à chanter en se balançant un peu et en respirant avec calme et profondeur, il sent cette « boule » redescendre le long de la colonne et retomber dans le ventre. Le poupon, apaisé, se rendort. Cette expérience qu'a pu vivre tout parent attentif est en vérité essentielle. Elle démontre que, très tôt, la respiration profonde de l'enfant est perturbée, et le deviendra de plus en plus, à longueur de journées et de nuits.

En affinant l'observation, on constate aussi que la boule d'énergie souffle-son, dans sa remontée le long du rachis, se dissocie en énergie-souffle et énergie-son et que cette dernière se fait de plus en plus mentale. Il adviendra souvent que l'énergie-son se bloque à l'étage épaules-cou-mâchoires-colonne dorsale et s'y maintienne durablement, fixant à ce niveau tout un système de tensions musculaires qui contribueront à sculpter la posture, à dessiner la physionomie et à figer une typologie comportementale.

Si l'énergie-souffle restait coincée au même titre que le son à cet échelon physiologique, le bébé ne risquerait-il pas l'apnée (« la mort subite des nouveau-nés ») par blocage respiratoire et étouffement paradoxal, alors même que son petit corps serait rempli d'air? L'enfant, dans un processus de régression pneumophonique, retournerait à l'apnée intra-utérine, cet état de dépendance édénique où quelqu'un d'autre respirait pour lui. Simple hypothèse de ma part...

Par parenthèse, signalons que tout travail sur le souffle et le son s'inspire du même principe d'économie ventilatoire, mais envisagé cette fois sous l'angle de l'autonomie vitale et non sous son aspect de sujétion morbide. Souffle et son constituent deux énergies distinctes qui transforment peu à peu la force en pression, jusqu'au moment où l'élève arrive au centre de lui-même. Alors, comme l'enroulement d'une coquille d'escargot, la spirale commence à se développer, à rayonner de proche en proche.

La mise en communication du chanteur avec son hara [1] se perçoit à la manière dont la pointe du i est aiguisée : il y faut de moins en moins de force, car la force se mue de plus en plus en énergie; cette énergie est son et sans doute est-elle aussi le k'i du tir à l'arc zen. A titre d'exemple, rappelons que, dans certaines écoles de chant du début du siècle, le critère d'une voix bonne et bien émise était le suivant : il fallait être capable de chanter devant la flamme d'une bougie sans la faire vaciller, donc avec très peu de force mais en utilisant une pression qui donne un son *piano* ou *forte*. Ce processus, maîtrisé et géré par le souffle, libérait une énergie-son autonome.

Si le souffle et le son bien maîtrisés sont correctement reliés au bas du corps, c'est-à-dire au hara, il est possible d'émanciper le son du mental, de délier le haut du schéma corporel et de ne soumettre le larynx qu'à une basse pression au lieu de lui imposer un souffle d'ouragan. Le son est alors émis par simple pression et le chanteur tend à se reconstruire comme s'il n'avait jamais quitté l'apnée, en sorte que *quelqu'un d'autre* respire et vibre en lui.

Arrivé au terme de sa démarche, l'élève accède ainsi à une manière d'apnée dépassée, maîtrisée, résultat qui ne va certes pas de soi : au cours du travail, bien que saturé d'énergie-souffle et d'énergie-son, chacun ressent souvent l'irrépressible besoin de respirer encore et encore pour ne pas s'asphyxier. Puis, au fur et à mesure que le souffle s'amplifie et s'apaise, la force devient pression et

---

1. Dans la sagesse japonaise, on appelle hara le centre vital de l'homme, situé légèrement au-dessous du nombril. Traduit littéralement, le mot signifie *ventre*. Le k'i ou q'i, quant à lui, représente un *souffle* qui baigne toute l'atmosphère terrestre, y compris l'homme. Selon les auteurs, ce concept est rendu par l'une des expressions suivantes : « souffle universel », « énergie universelle » ou même « esprit ». Sans doute le k'i est-il tout cela à la fois, et un peu plus encore...

le chanteur apprend à aller plus loin, à puiser plus profondément, à tenir plus longtemps.

Dans la vie de l'enfant, un autre moment important est celui où il se dresse pour marcher et devenir vraiment, de ce fait, petit homme. A travers la polysémie du verbe « dresser », s'ébauche une association de sens entre « verticaliser », « aplanir » et « soumettre à l'instruction » : ainsi dresse-t-on un mât pour le planter dans le sol; dresser une planche ou une pierre, c'est l'équarrir; enfin le dompteur dresse un animal sauvage, comme l'éducateur qui prend en main un enfant récalcitrant dit en le menaçant qu'« il va le dresser ». L'enfant qui se tient debout manifeste, par son attitude, qu'il renonce définitivement à son statut animal, qu'il veut devenir un être « poli » et docile.

Le voici, tout chancelant, malhabile encore, en recherche d'appuis divers : murs, meubles plus ou moins stables, appareils de chauffage plus ou moins brûlants, portes plus ou moins fermées, et son anxiété se ravive en même temps que s'élève sa prise de vue et que s'affine son emprise sur les objets. La position debout l'entraîne à laisser remonter toujours plus cette « boule » de souffle et de son pour la maintenir dans le haut du corps – phénomène particulièrement repérable dans les pleurs et les cris signalant les découvertes, les échecs, les interdits.

Comment tient-on debout? Dans le bas de la colonne vertébrale, certaines vertèbres – L3 notamment – permettent à l'être humain correctement verticalisé d'assurer une bonne continuité entre le rachis et les jambes. Mais beaucoup d'entre nous marchent encore comme de jeunes enfants : ils propulsent les fesses en arrière; en inspirant pour produire un effort, ils accentuent le mouvement. Ceux-là ne concluent pas leur verticalité, ou la concluent maladroitement au moment de quitter l'adolescence; leur corps ne bascule pas sur les jambes comme et où il devrait le faire; ils s'engagent donc sur un déséquilibre qui n'est pas seulement physiologique mais qui déstabilise aussi des pans entiers de leur personnalité. Il leur sera nécessaire, au cours de chant, de reconstruire une verticalité vraie, en se mettant d'eux-mêmes en déséquilibre au travers d'un centre de gravité-son situé trop haut dans le schéma corporel.

Il est nécessaire de bien insister sur cette notion, qui résulte d'expériences maintes et maintes fois répétées : rééducation de la voix, de l'inspiration et de la verticalité vont de pair. A partir d'une interaction faussée de ces trois paramètres, l'enfant détermine sa pseudo-verticalité; il tente de se tenir debout par (mauvaise) habitude. Pendant le travail vocal, cet aplomb vicieux sera remis en question par le jeu des énergies du son et du souffle : le centre de gravité et le sens de l'équilibre s'en trouveront momentanément perturbés – phase transitoirement indispensable pour rétablir l'enracinement dans le sol et reconstruire, après de longs mois d'apprentissage, une verticalité assainie. Il ne s'agit pas d'imposer à l'individu je ne sais quel nouveau centre de gravité, mais de lui permettre de découvrir, par approximations successives, son propre centre, sorte de noyau, de foyer, que la tradition japonaise nomme le hara. Par le lent travail d'usure d'une mémoire musculaire inadéquate, d'anciennes coordonnées s'effacent pour que s'enregistre une nouvelle logique de statique corporelle, celle qui convient à l'Être. Au terme d'un travail de « longue haleine », l'adulte se tient alors debout *comme un bébé qui aurait bien grandi.*

Apprenti marcheur, l'enfant est aussi apprenti parleur. Sa virtuosité vocale tient, en ces débuts, du prodige. Il y a en lui, quelles que soient sa race et sa condition, une disponibilité phonémique au niveau du respiratoire profond qui le prépare à la pratique de n'importe quel langage premier. C'est en fonction de la langue dite maternelle, dans les sonorités de laquelle il baigne dès son plus jeune âge, que son oreille l'attire vers une expression verbale précise et vers les fréquences particulières qu'elle utilise – variables d'une langue à l'autre.

L'évolution langagière s'effectue parallèlement au développement des anxiétés bloquant le système de phonation. De plus, surtout en cas de troubles dans l'acquisition de la parole, elle accentue la perturbation du système pneumophonique jusqu'à la fin de l'adolescence. Les bègues, les balbutiants, les bafouilleurs et autres bredouilleurs tentent de s'exprimer comme le leur permettent les pulsions saccadées de leur expir et la motricité aberrante de leur mâchoire. Sans même aller jusqu'à l'étude de cas pathologiques, il est une règle générale qui veut que le jeune adulte se mette à chanter en utilisant le même réflexe respiratoire et vocal appauvri que celui de la parole.

Or, pour retrouver son intégrité, un débit vocal parlé ou chanté doit résulter d'une neutralisation du mental. Le son dans la voix parlée est continuellement altéré par l'anxiété du mental et attiré vers le haut. L'idéal (relativement utopique) à poursuivre devrait consister en ceci : parler et chanter dans une maîtrise complète, par le bas du corps, de l'énergie-souffle et de l'énergie-son, en neutralisant l'intellect. C'est toute la recherche du Zen. Dans une démarche de maîtrise et d'apaisement de soi, c'est une profonde erreur de négliger le rôle du son, origine et vecteur de toutes les tensions.

Pour restaurer une fonction orale pleine et entière, l'adulte devrait puiser sans entrave dans cette réserve phonémique dont il disposait enfant. Le travail sur la voix vise précisément à obtenir de lui cette régression dans un statut prélinguistique de communication vibratoire. Quand il est encore en bon état respiratoire et vocal, le bambin fait vibrer tout son corps pour émettre des sons. Sous l'emprise des tensions qui s'accumulent au fil du temps, son corps cesse de vibrer. Or, toute communication vraie est d'ordre vibratoire. L'être humain, dans sa vie relationnelle, agit alternativement comme émetteur et comme récepteur, mais l'émetteur est en partie hors service. D'où la nécessité de remettre l'instrument en état, de redévelopper le corps sonore, pour que la communication se rétablisse en deçà du langage verbal intellectualisé. Alors, le mot s'accorde à la vibration, le verbe se fait chair et l'être reprend pied à l'époque mythique d'avant la tour de Babel...

L'apprentissage d'une langue maternelle, avec la crispation mentale sur cette langue, fait partie de la grande conjuration du savoir dont il sera souvent question dans cet ouvrage. Il s'agit de l'inévitable complot en quoi se résume le patrimoine culturel de l'humanité, qui a permis à l'animal vertical et manuel de perfectionner, entre membres d'une même horde, un code de messages phonémiques. Avec la complexification du sens et de l'intellectualité qui le sous-tend, le cri modulé se coagule en mot, le chant dégénère en discours, le symbole phonétique se déprave en convention idiomatique. L'écriture fige encore plus l'expression et suit la même pente, de l'idéogramme proche de la spontanéité picturale qui décalque encore les forces de la nature jusqu'au phonogramme alphabétique qui se contente de disséquer la parole [1].

L'enfant qui apprend à écrire tâche d'intérioriser les rudiments du savoir en fixant peu à peu, à leur plus haut degré de sophistication intellectuelle, les normes d'un système de communication purement cérébral. Après avoir, au mieux de ses capacités, intégré les nécessaires

---

1. Comme il l'est précisé au chapitre suivant, certaines cultures ont tenté de remédier à cette déperdition de sens symbolique par le biais de la calligraphie ou de la kabbale.

éléments de cette culture littéraire et orale, le jeune adulte, justement fier de sa langue, gagnera, sans brûler sa bibliothèque, à dépasser cet héritage, s'il ne veut pas qu'en lui l'être de vibrations soit occulté au profit quasi exclusif de la logomachie.

Revenons à ce petit enfant qui marche tout seul et qui parle : le voici maintenant enfiévré, en proie aux douleurs dentaires et à ces « petites » maladies, rhumes, angines, rougeole, oreillons, coqueluche... Il tousse, il a chaud, il a froid, il se sent mal à l'aise dans sa respiration. Toutes ces affections accentuent la perturbation de la sérénité respiratoire. Au sortir de n'importe laquelle de ces périodes, le petit d'homme ne retrouve probablement plus la plénitude de sa logique respiratoire.

Parallèlement, l'émergence d'une vie mentale de plus en plus prégnante tend à tirer les énergies vers le haut, ce qui explique l'installation définitive dans cette zone de l'énergie-son et, dans les cas les plus graves, de l'énergie-souffle elle-même. Une telle conjonction des deux énergies à ce niveau conduirait peut-être le nouveau-né à la mort par apnée, comme nous l'avons déjà envisagé plus haut. Chez des enfants plus grands, surviennent parfois des crises d'asthme. Certains asthmatiques ont totalement bloqué la zone affective de leur corps sur le plan respiratoire : dès qu'on la dégage, la crise survient. Tout se passe comme si, dans le serrage affectif qui est le leur, ils ne pouvaient pas s'autoriser à respirer bien. Pour eux, bien respirer, c'est recourir à la crise d'asthme. J'ai maintes fois observé, en cours de travail, que dans un premier temps les crises régressent; puis elles réapparaissent, véritable baroud d'honneur de l'organisme attaché à ses anciens modes de fonctionnement, avant d'être dépassées définitivement. Mais il faut, bien sûr, que le travail se poursuive, en souffle et en voix.

Pour bien comprendre la notion de « tranche affective » qui précède, il est utile de se remémorer la théorie orientale des *chakras*, véritables relais d'énergie qui balisent le corps de bas en haut.

Ils sont au nombre de sept pour les principaux :

– le premier, situé au fondement du tronc, et le deuxième, le chakra génital, focalisent la force sexuelle ou force vitale;

– les troisième, quatrième et cinquième chakras, respectivement localisés dans les zones ombilicale, cardiaque et gutturale, sont les sièges de la vie affective; ils délimitent la « tranche corporelle » dont il est question à l'alinéa précédent;

– le sixième chakra (entre les sourcils) et le septième (au sommet du crâne) déterminent la zone spirituelle du corps.

La voix parlée, avec tout le système de phonation qui la produit, est directement liée à cette « tranche affective » 3-4-5 de l'individu, qui couvre toute la cage thoracique, les épaules, la mâchoire inférieure et bien sûr la colonne dorsale. Cependant, cri et souffle sont, eux, d'ordre animal (tranche 1-2); on peut en conclure que le son, originellement corporel, étiré et exhaussé par la parole sous l'influence des affects, a donné lieu peu à peu à une émission complètement mentale. Comme, par ailleurs, l'émotivité de l'enfant tarit lentement la source même de son souffle, le candidat chanteur se retrouve avec une fonction pneumophonique atrophiée.

La voix chantée, dans toute son étendue et sa richesse harmonique vraie, peut relier le cerveau gauche et le cerveau droit pour rééquilibrer potentiel animal, vie mentale et aspiration spirituelle. Je compare souvent ce rééquilibrage à la boîte de vitesses automatique d'une automobile. La vitesse que représente la parole dans notre « boîte vocale » doit reprendre sa véritable position au levier, tant qu'il y en a encore un. Ce qui signifie : la voix parlée va se décharger de son affectivité, de ses émotions; réintégrer sa « place », sa vérité profonde, d'ordre vibratoire, celle de tout le corps; tendre à s'émanciper du mental. En même temps, sur le plan physiologique, la voix parlée, déterminante comme on le sait déjà dans l'évolution de la verticalité, va reprendre son aplomb, au prix d'une transformation corporelle souvent spectaculaire. La boîte de vitesses de la courbe vocale, à 4 ou 5 positions, deviendra automatique à force d'exercices sur le souffle et le son, et la voix parlée y reprendra sa fonction naturelle et son emplacement exact entre harmoniques graves et aiguës.

Quand la reconstruction vocale est passablement accomplie, le chanteur peut commencer à expérimenter les infrasons et les ultrasons qui ouvrent la voie aux démarches spirituelles.

En cette matière, il faut se défier des apprentis sorciers qui agissent sur la voix par simple jeu et sans aucune maîtrise. Un tel cheminement ne peut être l'œuvre que de personnes déjà bien initiées aux arcanes du souffle et du son.

Tout se passe donc comme si l'enfant disposait dès sa venue au monde d'une connaissance innée et instinctive, qui sera progressivement perturbée par le développement de la vie affective et intellectuelle. Voilà sans doute pourquoi la sagesse traditionnelle, dans les Évangiles comme dans les sociétés initiatiques, demande à l'aspirant de redevenir comme un enfant en bas âge : pour renouer avec cette connaissance animale et cette capacité d'épanouissement sensitif complet. Le lecteur aura remarqué que nous parlons ici de connaissance et non de savoir; de connaissance « animale », qualification qui, par le biais de l'étymologie latine, renvoie à l'âme : l'animal est l'être animé; l'homme ordinaire se coupe du principe d'animation; seul, celui qui en prend conscience et le réalise en soi, c'est-à-dire d'abord en son corps, mérite vraiment le titre d'être humain accompli.

Mais, comme on le sait, au cours de la croissance de l'enfant, une intellectualisation des sens survient, qui les guide, les guinde et les stérilise pour un temps, pour longtemps ou pour toujours. L'évolution intellectuelle de l'animal humain depuis son jeune âge joue donc un rôle paradoxal et nécessaire : d'une part, elle provoque l'étouffement du potentiel animal en lui; d'autre part, dans une perspective de reconstruction initiatique, l'animal humain est le seul qui, par sa réflexion « intellectuelle », peut comprendre la nécessité de se déconnecter de l'« intellect » au moment où celui-ci tendrait à exercer le pouvoir absolu d'une véritable dictature. Toute intelligence saine se relativise elle-même et d'elle-même se soumet à une sorte d'ascèse pour briser les prismes déformants qu'elle s'est taillés et retrouver l'épanouissement des sens corporels qu'elle a tenus sous le boisseau. Quand la maîtrise des sens est recouvrée, se produit l'ouverture du sixième sens : l'intuition, forme supérieure d'objectivité qui se manifeste en chacun de nous à condition d'être alimentée par des sens vrais.

L'intellectualisation de l'audition, simple cas particulier du processus d'occultation qui vient d'être évoqué, se remarque clairement à travers la façon dont les gens « chantent juste »; car il y a deux manières de chanter juste. La plupart chantent juste par mentalisation de l'audition donc de l'émission : ils chantent faussement juste, c'est-à-dire juste avec un instrument faux.

En cours de travail, lorsque s'écroule tout leur système d'intellectualisation sonore, ils se mettent à chanter faux, justement faux.

Ce phénomène s'illustre parfaitement au Conservatoire à travers le processus de transposition. On sait que le chanteur possède le seul instrument qui normalement peut transposer spontanément : il chante un air, le pianiste joue cet air une tierce au-dessus ou en dessous et le chanteur, s'il ne se pose pas de questions, chante en transposant impeccablement. Mais, après des études prolongées de solfège, cette faculté a disparu, preuve que le sens de l'audition a été perturbé par l'intellectualisation. Cette audition-là permet effectivement de faire de la musique. L'audition vraie, d'être la musique...

Entendre juste pour chanter juste : les Anciens accordaient une importance capitale à la justesse du chant et de l'écoute. Ainsi, en Égypte, ne devenait prêtre que celui qui, après être « retombé dans l'enfance de l'Art », était capable de chanter juste, au plein sens du terme. Beau thème de réflexion pour les prêtres actuels, toujours en quête d'efficacité liturgique.

Pour retrouver en nous l'état d'enfance avec sa plénitude pneumophonique, il faut procéder à des déblocages vocaux et respiratoires souvent pénibles à obtenir. Je me demande souvent jusqu'à quel point, dans la genèse des oppressions respiratoires et énergétiques induites par l'anxiété, le système de phonation avec larynx ne constitue pas un terrain organique favorable. Le chien dispose d'un larynx et il existe des chiens à l'aboiement hystérique. Qu'en est-il des autres mammifères supérieurs? La question mériterait un examen approfondi. Toujours est-il que ce système phonatoire intercalé dans un goulot dit d'étranglement (cinquième chakra) fragilise toute la statique corporelle en s'y intégrant de manière souvent problématique.

Quoi qu'il en soit, il est bien clair que l'appareil phonateur se bloque en fonction d'événements douloureux ou tristes remontant à l'enfance. Les dégagements vocaux provoqués par la méthode dont il est question tout au long de ce livre s'accompagnent souvent de pleurs ou d'éclats de rire et de mimiques enfantines très suggestives, traduisant le chagrin, le bonheur ou l'agressivité. Il n'est généralement pas possible d'identifier la cause du coincement, mais, en tout cas, la voix se libère et la mémoire du corps se décharge de ses tensions par des tremblements incoercibles dans la zone incriminée.

Les sons qui expriment une intense douleur, émis en pleurant, peuvent en quelques secondes se transformer en sons de bonheur : le son reste le même et donne une voix superbe – celle de Jean qui pleure et de Jean qui rit. A ce moment, le chanteur s'affranchit des blocages qui lui nouaient les épaules, la nuque et la mâchoire et qui avaient dû, alors qu'il était enfant, s'inscrire douloureusement dans son corps.

Lorsque sautent ces verrous, l'événement est à marquer d'une pierre blanche dans l'existence de l'individu : il sent son être se purger d'une charge qui ne peut être autrement nommée ni décrite. Certains élèves ne résistent toutefois pas au désir de verbaliser, peut-être dans un obscur souci de justification. Ainsi, après s'être livrée à l'un de ces « nettoyages », une dame me déclara qu'un familier avait voulu la violer, dans son enfance. S'agissait-il là d'une réaction objective? Ce type d'interprétation revêt en soi peu d'intérêt, car le son est toujours plus important que la parole. Plus important, plus explicite et moins trompeur : il se suffit largement à lui-même et dit toujours la vérité. Les décharges émotionnelles associées à la découverte de la voix ne doivent donc pas nécessairement faire l'objet de commentaires verbalisés, ce qui faisait dire à un psychanalyste de mes relations : « Ce que j'apprécie dans cette démarche, c'est qu'elle se passe de mots. »

Pour libérer la voix, il faut aussi accepter de revisiter une sorte de force énorme liée à la violence des harmoniques graves. Dans un premier temps, le chanteur n'ose pas de lui-même puiser dans ce réservoir de colère qui stagne en son for intérieur : la pression sociale et plus précisément l'éducation, au lieu d'utiliser cette agressivité, ne poursuit d'autre but que de la mater. La plupart du temps, l'éducateur craint la violence du cri de l'enfant. Il rêve de l'écraser, de la tuer, de l'écrabouiller, de l'étouffer dans l'œuf, au nom du juste retour des choses : lui aussi fut un jour maté, écrasé, tué... et c'est pour n'avoir pas mûri qu'il ne laisse pas en autrui s'épanouir une voix harmonisée et adulte.

En vérité, le cri du bébé, celui de l'enfant en bas âge, est violence brute, qui demande à être acceptée, respectée et gérée de manière à devenir un jour une force harmonisée et mûre, donc adulte, au service d'un instrument corporel et mental bien construit. De la pierre brute à l'œuvre d'art, toute pédagogie s'apparente au travail du sculpteur : façonnage de l'anatomie, modelage de l'âme, mise en forme de l'esprit.

Cette vocation d'*é-duquer*, « de conduire hors de », implique un profond respect du génie de l'enfant; au lieu de programmer et de conditionner des attitudes sclérosantes, il convient d'appliquer les méthodes d'une maïeutique qui inviterait l'être à révéler tous ses pouvoirs d'ordre physiologique, psychique et spirituel afin de lui en permettre l'épanouissement complet. Rabelais ne disait pas autre chose; mais son message n'est jamais passé. Il faut donc le reformuler inlassablement.

Mon rôle de professeur de voix vis-à-vis d'adultes vocalement étouffés consiste à solliciter la violence des sonorités graves, objet d'un constant refoulement, à récupérer dans le ventre cette force qui servira à effriter les contractions accumulées à l'étage supérieur. Ce travail *bouleversant* de ressourcement, quand on l'effectue en réactivant la véhémence des deux premiers chakras, provoque souvent, dans un premier temps, une forme d'agressivité et d'exclusivisme, au point que mes élèves doivent être prévenus ou même exhortés : que diable, la vie sociale continue! Elle continue, mais autrement. Lorsque l'émetteur change en nous, le récepteur se modifie pareillement, et nous captons d'autres personnes. Tout un monde d'anciennes relations n'éprouve plus aucun intérêt à nous rencontrer, au même titre que nous n'éprouvons plus aucun intérêt pour lui. Par contre, de nouvelles liaisons s'ébauchent avec d'autres personnes. Nous émettions sur Europe I et puis nous passons sur France Musique... Ce ne sont plus les mêmes auditeurs.

L'enfant marche, l'enfant parle et crie, il tombe malade. Il apprend à apprendre aussi, car il va à l'école. Corps de respiration, corps sonore et corps d'émotions, il devient corps d'abstraction. Sa vie se complique en se socialisant. Sous la férule de l'enseignant, l'élève s'applique à discipliner son comportement, à contrôler son affectivité, à observer et à reproduire les normes. Ce n'est pas pour rien que la scolarité est souvent assimilée à une course d'obstacles : adaptation à la personnalité des professeurs, intégration à la classe, assimilation des méthodes, mémorisation des matières, risque d'échec et menace de redoublement... le métier d'élève n'est pas une partie de plaisir. Mais peut-être les périls les plus insidieux ne sont-ils pas formulés, pour l'excellente raison que certaines choses ne peuvent être dites, qui touchent à la haute opinion que nous nous faisons d'une certaine intellectualité désincarnée, conçue sous l'angle de la pure performance et du prestige social.

Or, dès l'instant où, sous l'aiguillon de la compétition scolaire, intellect et affects dirigent seuls le développement individuel, on peut être assuré que des chemins sans issues sont empruntés qui détournent l'Être de sa

« vocation [1] ». Sous l'emprise de l'institution éducative, l'enfant passe de la Connaissance au savoir, de l'Être au paraître, de la Vie à l'existence [2]. Ce détournement d'énergie vitale, sans doute fatal, aboutit à une hyperintellectualisation qui, dans les meilleurs cas, se démontre à elle-même sa propre vanité. Alors, le retour à la Connaissance devient inéluctable. Au risque d'être à mon tour taxé d'intellectualisme (mais l'intellect ne peut-il servir *aussi* de bonnes causes?), je rappellerai l'étymologie de *connaître* (naître avec), ce qui donne pour « connaissance » le sens précis d'« information innée ». Toutefois, pour les latinistes, cette lecture, signalée surtout par Claudel, relève davantage de la cabale linguistique que d'une interprétation *stricto sensu* du verbe *cognoscere*, lequel signifierait d'abord « faire l'amour », dans le sens le plus charnel de cette expression, couramment employée dans la Vulgate. Le latin classique en donne ensuite une acception plus large. A quelque filiation qu'on se réfère, le mot *connaissance* implique une *fusion* totale entre l'Homme de Désir et l'objet de son aspiration.

L'école n'est plus au service de la connaissance. Elle conspire à répandre le savoir, ce mal nécessaire. Pour lui faire une tête bien pleine – ce qui vaut mieux, à tout prendre, qu'une tête bêtement vide – elle diminue l'enfant dans sa vérité biologique initiale et empêche plus tard l'adolescent puis le jeune adulte de vivre *sa* vie. Réapprendre à vivre reviendra donc pour lui à partir en quête de l'animal humain qu'il fut en ses tendres années, et qui aurait bien évolué depuis : son programme d'in-

1. Vocation, du latin *vocatio*, action d'appeler – lui-même issu de *vox, vocis*, la voix.

2. Exister, *ex-sistere*, qui signifie « être placé hors », s'oppose ici à *in-sistere*, « être placé dans » ou « s'appuyer sur ». On retrouve la conception gnostique d'un existant déchu, en exil de l'Être, appelé à réintégrer sa patrie par un retour au centre principiel, au-dedans de lui-même.

dividuation consistera à tuer les faux-semblants pour retrouver le sens et le goût de la vraie vie, à mettre l'intelligence au service de l'animal restructuré et reconstruit dans sa verticalité, à réconcilier finalement en lui l'animal et l'animal intelligent pour faire un seul des deux.

Mais avant de réaliser cette idéale harmonie, que d'embûches à franchir! Que de chausse-trapes à éviter! Pauvre enfant... Plus on stimule en lui, avec les meilleures intentions du monde, une activité socialement prestigieuse, plus on accentue l'anxiété liée à la réussite du comportement qui lui est demandé : l'échec, en effet, est réprimé.

Or, cette anxiété génère une rétention respiratoire. Le petit apprenti pose alors ce geste : inspirer de moins en moins et de plus en plus mal, parce qu'il faut faire vite et bien ce qui est exigé. Le mouvement inspirateur s'écourte, l'énergie reste en suspens dans le haut du corps, et la voix est symbolique de cette abstention; l'élève prend à peine le temps d'inspirer pour émettre un son ou esquisser un geste.

Chaque choc émotif que reçoit l'enfant au gré du développement de son intellect est enregistré par le principal muscle respirateur : le diaphragme. Chaque rire, chaque pleur reçoit son impulsion du diaphragme, ou plutôt des diaphragmes, parce qu'il y en a plusieurs. Outre le muscle large et mince qui sépare la poitrine de l'abdomen, on connaît aussi la tente du cervelet et le diaphragme pelvien, qui sont en rythme synchrone d'expansion et de retrait à travers tout le corps.

A cette série de trois diaphragmes, certains en ajoutent un quatrième, au niveau claviculaire, qu'ils nomment « diaphragme thoracique supérieur ». Il mérite d'être mentionné ici, dans la mesure où, selon mes observations, l'énergie-son reste souvent bloquée à cet étage, d'une manière spécialement opiniâtre.

La véritable verticalité consisterait peut-être en un jeu d'équilibre entre tous les diaphragmes. Mais le plus important d'entre eux, c'est le « muscle de vie » (ou de non-vie!) qui enregistre toutes les perturbations émotives et respiratoires. La maîtrise de soi commence donc par celle du diaphragme. Dès qu'il commence à être maîtrisé, l'être humain peut vivre pleinement ses émotions sans en être trop submergé ni amoindri. Un des objectifs physiologiques majeurs que poursuit le travail sur la voix consiste en une rééducation du muscle phrénique.

Le professeur de voix passe son temps à enfoncer des portes ouvertes, comprenez : réapprendre aux élèves à inspirer. Le yoga dit certes, à juste titre, que l'expir seul est générosité, ajoutons : que le chant est générosité. Mais il n'y a d'expir généreux qu'en fonction d'un inspir complet. Et comme tous, nous sommes de médiocres inspirateurs, nous ne pouvons donner notre voix sans reconstruire la mécanique de l'appel d'air dans toute son ampleur, sa direction et son calme.

Élargissons le point de vue : la prise de souffle [1] constitue aussi notre première nourriture, la première énergie que nous prélevons à notre biotope. Une inspiration atrophiée compromet notre ravitaillement de base en énergie vitale. Il est donc facile de comprendre l'importance, dans le travail vocal, de contrôler la qualité de l'inspir du chanteur : elle est la condition *sine qua non* de la renaissance d'un être serein, maître et ... généreux.

La générosité, on en conviendra, n'est guère le signe distinctif de la grande masse des êtres humains qui, dès l'enfance, s'essoufflent au ras du sol. Leur mesquinerie

---

1. Nous faisons appel à deux ressources énergétiques différentes : l'inspiration et l'alimentation liquide et solide. La quête de cet art de vivre auquel invite le travail sur la voix inclut naturellement une recherche d'équilibre nutritionnel et diététique.

respiratoire, accumulée et répétée au long des années, devient vite le réflexe de la seconde nature et suscite des distorsions importantes dans la personnalité globale : on ne se tient pas droit mais raide, on enfonce la tête dans les épaules ou on la hisse tout en haut d'un cou qui s'étire, on noue les épaules, la nuque et la mâchoire, on bloque le système phonatoire le plus haut possible, comme un bouchon, dans le goulot d'une bouteille de mousseux, contient l'agitation d'un liquide pétillant.. Tout est dans le paraître, dans l'étiquette collée sur le flacon.

Le pincement du tube phonatoire se répercute sur la statique vertébrale; ainsi, l'attention de l'enseignant est-elle fréquemment attirée par les « nœuds » vertébraux qui correspondraient, semble-t-il, à des points où se bloque la circulation de l'énergie, et qu'il faut gommer pour permettre le retour à la terre des tensions entassées à ces niveaux. De plus en plus, ces nœuds apparaissent comme les points d'appui énergétiques des fausses personnalités et le son permet de les localiser, surtout s'il est émis après l'inspir nasal. La situation précise de ces nœuds vertébraux dépend vraisemblablement de l'équilibration des diaphragmes. Telle est du moins l'hypothèse la plus plausible, qui demande encore confirmation.

La plupart des comportements d'abstention pneumophonique et les perturbations axiales qui s'ensuivent trouvent leur origine chez l'enfant en âge scolaire : c'est à ce moment, en effet, que sont imposées les attitudes les plus artificielles comme la station assise prolongée avec courbure du rachis pour l'écriture, le dessin ou l'étude, comme la parcimonie respiratoire, vocale et gestuelle durant les leçons et plus encore à chacun des instants où les acquis font l'objet d'un contrôle, oral ou silencieux.

Les mauvaises habitudes s'incrustent, que l'échappée dans la cour de récréation, les cours de gymnastique, l'éducation sportive et artistique ne font qu'aggraver; il n'y a plus d'appui sur le bas de la colonne, on tient comme on peut sur ses jambes, le centre de gravité se surélève. En cours de travail sur et par la voix, il bascule à certains moments dans son vrai réceptacle, entraînant, comme il a été dit plus haut, le déséquilibre du chanteur et, très rarement... sa chute. En général, le professeur se tient prêt à parer à toute éventualité, à défaut de sol matelassé.

Il arrive aussi que les jambes de l'élève se mettent à trembler et entraînent de vives douleurs dans les mollets ou dans les pieds. Ces symptômes sont typiques d'une prise à la terre qui se rétablit brusquement : le chanteur traverse les tensions avec lesquelles et « sur » lesquelles il vivait sans s'en rendre compte et qui, dans certains cas, remontent à l'apprentissage de la marche.

Chacun de nous est construit selon une statique fausse, en fonction de chaînes musculaires qui ont pris une prépondérance disproportionnée par rapport à d'autres. En termes simples et imagés, chacun est un peu comme une tour de Pise qu'il faudrait redresser en rétablissant le meilleur équilibre possible entre les diverses chaînes musculaires, car il n'y a de voix vraie que dans une verticalité vraie et inversement.

Il semblerait, en se plaçant du point de vue de l'ostéopathe, que les exercices vocaux que je propose dynamisent particulièrement le système musculaire responsable de la pulsion verticale et de la régulation du centre de gravité. Il s'ensuivrait une sorte de rééducation posturale avec autograndissement du chanteur, amplification respiratoire et rééquilibrage de tout le schéma corporel.

Le principe physiologique du travail par le souffle et la voix consiste dans le fait d'user les tensions décentrées au-dessus du corps, d'agir en sorte que l'individu s'émousse par lui-même en appliquant sa force toute neuve aux contractions qui l'empêchent encore d'exprimer sa pleine maturité. La partie est définitivement gagnée lorsque le « mouvement de bascule » s'engage, précipitant les énergies souffle et son dans le hara [1].

Il s'agit là d'un lent combat d'usure et de ruse au cours duquel, peu à peu, les tensions s'atténuent dans la superstructure de l'édifice et s'évacuent vers les fondations. L'individu peu à peu réintègre son centre dans tous les mouvements de sa vie. Il se *concentre*, c'est-à-dire qu'il retrouve son centre, donc son ventre. Et ce retour au bercail est irréversible : toute initiative de sa part va désormais dans le sens d'une restauration sur le plan professionnel, relationnel, affectif, physique, car une fois le réflexe acquis, la reconstruction est indéfinie et rénove l'Être à tous ses niveaux d'arborescence, des racines à la cime. La plante humaine est devenue autre. Elle *est*, tout simplement. Et elle sera, de mieux en mieux... à condition de respecter des consignes d'arrosage régulier.

Vigilance et exercice : rien, jamais, ne peut s'obtenir et durer, dans le travail par la voix, sans répétition des exercices respiratoires et vocaux, sans attention à soi ni, surtout, sans cette disponibilité intérieure qui fait du chanteur un explorateur de l'espace du dedans, à la fois laborantin et terrain d'expériences. Comme l'humour est une vertu cardinale dans ce genre de démarche, irremplaçable dès qu'il s'agit de dédramatiser certaines situations, je décris souvent le côté expérimental du travail sur la voix de la manière suivante : « Cette méthode consiste à conduire l'élève face à un mur, à trois ou quatre mètres de lui, à le faire foncer dans la muraille tête

---

1. Ce travail de basculement ne constitue qu'une première étape. Ensuite, il faudra tirer un fil de son au travers du i : la boule de laine est dans la boîte; le fil dépasse par un trou et on tire. On tire la pression et la verticalité de sorte que, après basculement du souffle et du son dans le hara, il faut encore reconstruire la verticalité du son.

baissée, revenir à son point de départ et recommencer jusqu'au moment où il se rendra compte qu'une porte existe et que c'est bien plus simple d'ouvrir la porte qui est là, tout à côté des points d'impact... »

En d'autres termes : le professeur de voix ne peut jamais rien apprendre à quiconque. Il ne lui est possible que de placer son élève devant des expériences parfois dures qui lui permettront de réaliser, dans son corps et par ses muscles, les solutions à construire. N'en va-t-il pas de même pour tout enseignement vrai ? Toute pédagogie ne doit-elle pas viser l'acquisition de l'autonomie ? Et le meilleur apprentissage ne consiste-t-il pas à vivre par soi-même sa propre expérience, celle des autres n'ayant jamais servi à personne ?

L'adolescent et la voix

Vaille que vaille, l'enfant a grandi. A la puberté, en même temps que se développent les fonctions génitales, s'affirme l'autonomie personnelle, sur un mode volontiers revendicatif. C'est une vraie révolution psychosomatique.

La croissance staturale provoque un déséquilibre physique passager par l'allongement démesuré des jambes, les caractères sexuels secondaires apparaissent, et la voix du jouvenceau, en pleine mue, est porteuse du malaise qui gagne toute la personnalité juvénile : les harmoniques graves de l'adulte s'affirment, se superposant maladroitement aux intonations de l'enfant qui musarde. La voix déraille, s'éraille, sans cesse tiraillée entre les graves qui n'osent pas et les aiguës qui n'osent plus.

L'adolescence est sans doute, de toutes les périodes de la vie, la plus difficile à cerner. On la définit généralement comme l'âge intermédiaire entre l'enfance et l'existence adulte, ce qui ne veut pas dire grand-chose. Dans les sociétés primitives et traditionnelles, l'adolescence n'existe pas. A la puberté, l'enfant est soumis à un rite de passage qui fait de lui un être complet et l'intègre immédiatement au monde adulte. La maturité sexuelle coïncide avec l'émancipation sociale : pasteur, agriculteur, guerrier ou apprenti, le jeune homme ou la jeune fille est à sa place, il joue son rôle dans la communauté, il ne tarde pas à se marier et à procréer.

Dans les sociétés industrielles et technologiques au contraire, la complexité des apprentissages nécessite leur prolongation. Un hiatus de plus en plus important sépare la potentialité génésique de l'autonomie sociale : l'adolescent, bien que biologiquement apte à assumer la conduite de sa vie, est tenu en tutelle psychologique et économique. Enfant attardé, il vit difficilement cet écartèlement entre sa nature profonde de jeune adulte responsable de soi et son statut d'assisté. L'instabilité psychique, si typique de l'adolescence, résulte de ce malaise existentiel et explique pourquoi les jeunes gens adoptent des comportements si déconcertants, passant, dans une même journée, de la révolte à la passivité, d'un sentiment d'infériorité à la volonté de puissance, de la timidité à l'insolence, de la prostration à l'exaltation, de l'isolement au grégarisme, avec tous les mutismes et tous les éclats de voix qu'implique cette versatilité.

Dans un tel contexte, le processus d'identification psycho-vocale répond, chez le pubère puis chez l'adolescent, à un besoin vital. Tout l'environnement social est sollicité en vue de fournir les indispensables modèles comportementaux. Jeu de reflets, de chatoiements, de leurres, cette recherche conduit bien des garçons à se créer, très tôt, un personnage de petit dur, de petit Jules, avec la voix appropriée, alors que les filles tentent de mettre au point un sourire et un ramage d'une irrésistible « féminité ».

Tous retiennent de leur entourage un certain nombre

d'exemples gestuels, vestimentaires, verbaux, posturaux, psychiques, constitutifs d'un personnage total et idéalisé dont la voix est symbolique. Ils se composent une *personnalité-à-l'image-de.*

Des auteurs comme Lacan (avec son « effet miroir ») et Winnicott (avec son « faux self » et son « vrai self ») ont montré, entre autres choses, que le préadolescent et l'adolescent ne peuvent que se fabriquer une personnalité extérieure à eux-mêmes, qui tend à se fixer et à durer. L'étymologie étrusque du mot *persona* est éclairante : elle renvoie à un masque de théâtre [1]. Dissimulé sous cette *personnalité*, l'adolescent joue sa pièce, c'est-à-dire reproduit le plus fidèlement possible le rôle et le texte d'un auteur. Il est littéralement « dans la peau de son personnage ». Il n'est plus qu'un personnage.

Dans les sociétés traditionnelles, les modèles d'identification sont transmis au cours de l'initiation que subit l'enfant pubère : il s'agit généralement de préparer le récipiendaire à exercer au mieux sa fonction au sein d'une communauté donnée en développant chez lui les facultés d'endurance, d'honneur, de respect et les savoir-faire qui favoriseront son intégration au groupe. En fait de miroir, il arrive qu'on lui en présente un véritable et qu'on l'invite à y scruter intensément son propre visage, durant des instants qui lui paraissent une éternité. Il ne s'agit plus ici de s'identifier à l'autre, mais de s'estimer soi-même et, partant de là, de rectifier ce qui doit l'être, dans le secret de sa conscience et de son corps.

La société actuelle, par contre, exploite à fond le vague à l'âme de l'adolescent en faisant tourner dans son imaginaire tout un carrousel d'images et de personnages dont elle peut tirer un profit commercial – direct et différé.

---

1. *Phersu* : « homme masqué ».

Modes vestimentaires, styles de vie, modèles nutritionnels, musicaux et vocaux finissent par constituer une « culture jeune » qui tend à marginaliser mineurs d'âge et adolescents prolongés en les gratifiant d'une vision du monde purement ludique, voire même onirique. Tous les moyens visuels et sonores de la fascination publicitaire concourent à cette déstabilisation (d'aucuns diront : à cet abrutissement), et les ingénieurs de la décadence ne reculent devant aucune surenchère pour satisfaire leur aimable clientèle : violence-spectacle, érotisation des rapports sociaux, commercialisation de toute activité humaine; le principe de la satisfaction immédiate de tous les désirs et de la réalisation de tous les fantasmes, fussent-ils créés de toutes pièces, prime toute considération de valeur, de mérite ou d'effort.

Alors qu'auparavant, un jeune se serait identifié à tel héros chevaleresque, au justicier des films western à la voix profonde et au propos énergique, on en est arrivé à Rambo... degré zéro du langage et de l'éructation. Plutôt que d'inviter les adolescents à une forme de maîtrise, l'idéologie consumériste les incite à la névrose qui favorise toutes les formes d'exploitation mercantile. Encore, si l'enseignement, artistique par exemple, tentait de redresser la barre... mais non : au diable, un comédien qui maîtriserait pleinement son art et son être, et qui ne se laisserait pas mener par le bout du nez! Les écoles de théâtre, pour l'heure, déstructurent l'étudiant, abusent de marionnettes bien « éduquées », dont l'imaginaire est saturé de situations excessives – alcool, drogues et autres déviances... Ce type d'écoles produit une population névropathe, très instable, moutonnière, suicidaire à l'occasion. Le monde artistique est rempli de ce genre de personnages, d'où l'avilissement d'un certain art contemporain.

La Renaissance, par exemple, fut une époque d'hommes

et d'art construits selon une numérique sacrée, où architectes, peintres, musiciens, solidement campés sur des bases traditionnelles, transfusaient leur imaginaire en respectant cette structure universelle qui formait l'autre, qu'il fût spectateur ou auditeur. A l'inverse, nos modernes bâtisseurs, résolus à faire du fonctionnel, négligent les anciennes préoccupations relatives au choix du site, de l'orientation, des proportions, des formes, des matériaux, moyennant quoi l'habitat est devenu l'universelle mise en boîte que l'on sait. La peinture n'exprime plus une vision du monde, mais une mise en pièces du réel. Un Van Gogh, peintre génial au demeurant, transmet, à travers sa perception hallucinée des apparences sensibles, une misère humaine, une déchéance et une douleur vraiment « déchirantes », au sens propre du terme. Mozart, Beethoven, Wagner et Strauss entre autres illustrèrent avec génie la musique classique; ensuite, peu à peu, certains abandonnèrent l'harmonie traditionnelle pour adopter la série dodécaphonique qui sort d'un système à structure universelle et ne recueille, de ce fait, qu'un succès justement confidentiel.

Cette critique du sérialisme s'articule sur une approche pythagoricienne, à la fois géométrique et arithmétique, de la musique dans ses rapports avec le microcosme humain et le macrocosme universel. Le récepteur, cette structure géométrique en construction permanente, vibre seulement s'il s'harmonise avec un système émetteur de nombres sonores qui lui correspond et lui permet idéalement de s'élever, de sphère en sphère, jusqu'à une perception du schéma cosmique. Voilà pourquoi il nous paraît nécessaire d'écarter toute forme d'art éclatée et déstructurante, par exemple le dodécaphonisme.

Il serait essentiel de revenir, en art comme dans d'autres activités humaines, à une conception et à une élaboration plus saines des modèles, ce qui postule une refonte de l'échelle des valeurs. A défaut d'une telle remise en ordre, il faut craindre que la société et, au premier chef, sa jeunesse, ne verse dans une sorte de névrose collective qui fera son temps.

Quoi qu'il en soit, l'adulte se présente toujours au cours de voix avec un moi vocal faussé dans un corps et un mental faussés, et généralement il le sait : c'est pourquoi le chant l'attire. Ce qu'il ignore presque toujours, c'est qu'il ne peut en aller autrement. Au même titre qu'il est impossible de quitter l'adolescence avec une personnalité vraie, il est impensable d'en sortir avec une personnalité vocale vraie; tout est musculairement déformé et fixé à ce moment. Deux voies/voix s'ouvrent dès lors au jeune adulte, comme l'a bien perçu la psychanalyse contemporaine sur un plan strictement mental : ou il accepte de fonder toute son existence sur ce masque vocal, physique, psychique, intellectuel, ou il arrache le déguisement pour devenir, face aux autres, celui qu'il est. Toutes les grandes traditions initiatiques insistent sur cette nécessité, quand elles demandent à leurs impétrants « de dépouiller le vieil homme ».

Les voix adultes

Le travail sur et par la voix peut se réaliser avec des enfants, des adolescents, des adultes et des personnes âgées. Les principes restent les mêmes, les exercices vocaux et les postures physiques aussi; seules changent, en fonction des différents âges de la voix, la manière d'aborder les élèves, la durée de leur formation, la perception qu'ils en ont dans la perspective qui est la leur.

Travailler avec un enfant est relativement facile : son corps enregistre très vite, moyennant un peu d'imagination pédagogique, proche du jeu pur et simple. Une fois surmontée la réticence du départ, le comportement se modifie, traduisant le bonheur et l'aise du petit chanteur. Il n'empêche que les premiers blocages importants à faire sauter se manifestent dès avant trois ans : à ce moment, la mâchoire est déjà nettement inscrite dans le visage, comme le montrent les albums de photos familiaux. Il y a certes une démarche exceptionnelle à mener avec les enfants, promesse d'une grande école de chant – celle qui nous manque. Mais seul l'adulte est capable de se remettre en question dans une perspective de reconstruction initiatique. Les enfants vivent néanmoins d'intenses libérations psychologiques, très spectaculaires par les manifestations physiques qu'elles provoquent, mais ils ne peuvent bien sûr en comprendre ni le sens ni la portée.

Plus tard on commence ce genre de travail vocal, plus le processus en sera long et difficile. Il n'est par exemple pas commode de s'occuper d'adolescents.

Comme nous l'avons signalé plus haut, l'individu est, à cet âge, tellement en quête de son image corporelle et psychique, il vit de telles perturbations et de telles modifications dans tous les secteurs de sa personnalité, qu'il est vraiment difficile de le faire chanter, sauf s'il est demandeur. En général, mieux vaut attendre la fin de l'adolescence pour entamer ou reprendre les cours.

Des quatre âges de la voix, l'âge adulte est, en définitive, le plus propice pour effectuer ce genre de cheminement. En effet, seul un être puissamment motivé par la conscience de ses limites et de ses aspirations peut mener le combat intérieur nécessaire à la mort de son personnage. Il faut trucider Mr Hyde pour permettre au Dr Jekyll de vivre, mais Mr Hyde ne rend pas l'âme aussi facilement et manifeste, très durement parfois, dans le physique et le mental du chanteur qu'il vendra chèrement sa peau, au prix par exemple de chutes de tension, d'états dépressifs au cours desquels l'individu se sent privé de force et comme vidé de sa « substantifique moelle ».

Quand les tensions lâchent, il peut arriver que l'intellect se déconnecte instantanément et que, durant quelques minutes, le chanteur se retrouve quelque peu hébété. La langue populaire, souvent si proche des réalités essentielles du corps et de l'esprit, utilise le verbe *débloquer* pour décrire à la fois la levée du blocus et l'élucubration. La meilleure attitude à adopter concilie dès lors, selon les circonstances, la patience, l'acharnement et la distanciation humoristique, compétences éminemment adultes.

La méthode de travail sur la voix dont il est question dans ce livre peut s'adresser aussi à tous ceux et à toutes celles qu'on désigne sous le vocable de « personnes âgées ». Encore que cette notion soit ambiguë. Je fais travailler beaucoup de « jeunes » de vingt ans qui sont des personnes âgées, alors que certains élèves de soixante ans paraissent encore très jeunes. Parlons-nous d'un âge physique ou d'un âge du cœur? Je constate que les personnes dites âgées, motivées par une telle démarche sur la voix, sont toujours d'une grande juvénilité et expriment une force insoupçonnée.

Avec les seniors, plus encore qu'avec d'autres élèves, il s'agit surtout de bien reconnaître chaque individu comme il est, de bien sentir le rythme de travail à acquérir pour rester efficace avec chacun, tout en gardant un profond respect de la personne et en ne perdant pas de vue qu'une évolution ou une révolution physiologique est plus délicate à accomplir chez une personne âgée.

Ces exercices vocaux sont de nature à lui communiquer une sérénité, une joie de chanter et de vivre particulièrement bienvenues à cette époque-là de l'existence où il apparaît nécessaire de redynamiser une image corporelle qui tend à se dégrader. Apprendre à chanter, à quelque âge que ce soit, c'est vouloir être bien dans son corps et le rester, le plus longtemps possible.

En définitive, la classe d'âge à laquelle appartient le chanteur importe sans doute bien moins, dans l'évolution du travail sur sa voix, que sa personnalité profonde ainsi que son sexe.

Le temps nécessaire au basculement du personnage par la chute des tensions dépend, en effet, pour une large part, de l'équation personnelle de chacun. Mais il paraît généralement plus long pour le chanteur que pour la chanteuse : en elle, les crispations sont moins ancrées dans une silhouette plus fluide et la continuité semble mieux assurée entre le bas et le haut du corps, ce qui la rend *a priori* plus réceptive au travail sur la voix. La femme est toute en liaison, et ce principe de diffusion qui la prédispose à culbuter dans des états excessifs la rend en même temps plus apte à se reconstruire de fond en comble. Elle vit une plus grande audace d'expression que son compagnon, à travers les rires, les pleurs et divers autres phénomènes de grand nettoyage; ce n'est certes pas par hasard si l'étymologie de « hystérie » renvoie à « utérus ».

Par comparaison, le corps de l'homme apparaît segmenté, comme le souligne la symbolique vestimentaire de l'uniforme bourgeois des Occidentaux. A la taille, la ceinture sépare le bas du haut, et l'on notera que le mot « pantalon » trouve son origine dans le nom d'un héros burlesque de la comédie italienne, la pantalonnade. Une seconde zone de fracture se situe à la ceinture scapulaire, dont l'hyperdéveloppement musculaire, au besoin cultivé, constitue l'un des attributs de la virilité; or, c'est précisément dans cette région que viennent se nicher, nous l'avons dit, les contractions les plus pénibles à dissoudre, comme le montre le nœud de cravate qui serre le col. L'homme occidental est un personnage ceinturé, dont l'accoutrement antiphysiologique évoque bien le combat qu'il mène contre lui-même. Un homme libéré habiterait son corps sans aucune entrave musculaire, ni donc vestimentaire. Pour autant que la vraie noblesse puisse transparaître au travers du costume, la toge antique et les sandales devraient être préférées au smoking et aux souliers. Même en notre temps de grand oubli, on se rappelle encore que la toge reste le vêtement traditionnel des grands métiers de la voix : professeurs de faculté, magistrats, avocats, orateurs sacrés... Il y a là matière à réflexion... et à réfection.

En définitive, toute l'évolution vocale de l'enfant à l'adulte, en passant par l'adolescent, démontre que corps, psyché, esprit, sont intimement imbriqués les uns dans les autres en un système clos. Si porte il y a, la clé en est essentiellement, croyons-nous, d'ordre physiologique. La mémoire musculaire du corps, une fois entamée, subvertit l'ancien ordre de la vie intime : l'Être vrai surgit, qui émet d'autres ondes; des changements inopinés affectent la carrière professionnelle; la stabilité caractérielle et comportementale s'affirme, après une période de flottement; une nouvelle approche de l'existence se manifeste, plus constructive et plus tonique. En même temps, le travail sur le souffle et le son provoque l'émergence de préoccupations inattendues, d'ordre spirituel et philosophique. L'être retourne naturellement à l'essentiel, qui réside en lui-même : par un voyage intérieur constamment renouvelé et approfondi, il apprend à *se connaître pour connaître l'Univers et les dieux*, selon la formule socratique. Il suit la voie de l'intériorisation de tous ses sens, qui l'invite à réaccepter de les vivre sur le plan animal, en harmonie avec le mental. Il tâche d'aller au bout de lui-même par l'exploration et l'expérimentation de tous ses possibles. Artiste de soi, il abandonne la recherche et s'abandonne à la découverte, car il ne cesse plus de trouver des clés ni d'ouvrir des portes. L'une donne sur la dissolution, la suivante introduit dans la réintégration et, pour autant que ces choses puissent se dire par des mots, une porte est celle du grand calme, puis une dernière, celle de l'ouverture au Tout Autre.

III.

Analyser, construire, harmoniser par la voix

> « La meilleure médecine [...] consisterait à remettre le patient sur le chemin d'une marche à l'endroit. Mais une telle attitude donnerait à supposer, de la part de la science, la reconnaissance de la réalité de ce plan spirituel de l'Homme, de cet être essentiel en lui, de sa vocation divine. »
>
> Annick de Souzenelle,
> *Le Symbolisme du corps humain.*

Entrée en matière

Pour décrire la méthode de travail vocal, le mieux est sans doute de suivre pas à pas l'élève qui arrive au cours pour la première fois. Qui vient aux séances et pourquoi ? L'un est envoyé par un médecin en raison de problèmes respiratoires, par exemple. L'autre est en recherche de soi. Un autre encore utilise professionnellement sa voix pour enseigner ou pour plaider. La diversité des motivations initiales montre que cette méthode peut concerner tout le monde, y compris, de temps à autre, ceux qui, ayant envie de chanter, auront à effectuer une démarche beaucoup plus longue. En effet, les élèves habituels ne se soucient guère de leur voix, alors que les « chanteurs » ne pensent qu'à elle, s'y investissent avec toute leur volonté et, par là, freinent inconsciemment leur évolution personnelle. Mieux vaut, dans un premier temps, pour avancer vraiment, laisser venir la voix telle qu'elle sort, sans se poser de vaines questions sur sa qualité esthétique. La vérité vocale prime tout. La beauté suivra. L'éthique précède l'esthétique.

Quelles que soient ses motivations, le candidat est toujours abordé par un entretien; il s'agit de percevoir qui il est et, à la limite, les mots qu'il utilise n'intéressent guère le professeur de voix. Parfois, le futur élève exprime certes ses aspirations, mais l'entretien permet surtout de l'observer dans son comportement énergétique et physiologique, notamment respiratoire, de déterminer son degré d'anxiété, de mettre en évidence les points forts et les talons d'Achille du personnage : comment s'est-il fabriqué? Sur quelles bases faussement édifiées fait-il reposer sa volonté d'exister face aux autres?

L'entretien se déroule en position assise. Ensuite, *l'élève se lève* et réalise un test de lecture en ouvrant au hasard le livre de Dürckheim, *Hara – Centre vital de l'Homme*, ou celui de Herrigel, *Le Zen dans l'art chevaleresque du tir à l'arc*. Comme tous les ouvrages de portée universelle, ces livres présentent une propriété remarquable, qui se confirme d'année en année : neuf fois sur dix, le consultant à l'aveuglette, chacun tombe sur un passage qui le concerne très personnellement car il évoque le problème qu'il doit résoudre.

Le test de lecture se déroule en deux phases : d'abord, l'élève, abandonné à lui-même, lit comme il en a l'habitude, sans intervention correctrice. Pendant cet exercice, se révèle la statique du lecteur et plus particulièrement son rachis. Ensuite, il lui est demandé, dans cette même démarche de lecture spontanée, de porter la voix plus fort, ce qui permet d'apprécier le réflexe respiratoire et énergétique : si l'énergie quitte ses bases et se disperse par en haut en tirant la voix vers des sonorités suraiguës, c'est que le réflexe est inversé. Si, au contraire, elle s'affirme en s'intériorisant vers les harmoniques graves, c'est que le réflexe est fondamentalement sain, en dépit des inévitables déficiences.

Vient alors le moment d'agir sur la statique du lecteur pour tâcher de faire basculer son « centre de gravité vocale » : par des interventions sur la tête, les épaules ou à divers niveaux de la colonne, le praticien cherche, comme dans les arts martiaux, à utiliser la force de l'autre pour que, de lui-même, il entre en déséquilibre et rectifie la logique du rapport souffle-son. Comme à cet instant sa voix change, il faut essayer de lui faire entendre et sentir ce qu'elle doit et va devenir. Au terme de cette première approche, le corps de l'individu s'est révélé, avec ses potentialités et ses capacités évolutives.

Jamais deux cas identiques ne se présentent aux séances de travail sur la voix; chaque élève exige une disponibilité renouvelée, une attention permanente, qui permettent de déceler ce qui, dans son schéma de fonctionnement à lui, contrevient au modèle idéal de verticalité humaine, de génération et d'écoulement du souffle, commun à tous les êtres. Ce schéma montre un animal bipède, ancré dans le sol et véritablement debout, le haut du corps bien libéré par la solidité de la prise à la terre. Ce mode de fondation et d'élévation du bâti corporel est semblable pour chacun de nous et il est essentiel, pour tout formateur qui s'intéresse au travail vocal, de le garder toujours présent à l'esprit afin de percevoir, chez l'aspirant chanteur, les défauts de construction à corriger.

« Corriger » ne signifie pas intervenir en force, mais plutôt agir comme un frein : replacer l'individu (qui perçoit toute intervention comme artificielle) dans le vrai schéma vers lequel il doit tendre, auquel il se heurte avec ses tensions et ses habitudes, ce qui le fait basculer insensiblement dans l'attitude juste. Son corps enregistre des sensations jusque-là inconnues, qu'il intègre et reproduit par la suite; il commence à émettre des sons inouïs, que son oreille repère et qu'il pourra rediffuser ultérieurement.

Dès que le test de lecture a donné toutes les indications possibles, le travail sur la voix chantée commence. La voix parlée ne sera plus abordée qu'épisodiquement, pour mettre en évidence la maturation de la personnalité vocale et physiologique. Par exemple, dans le cadre d'un travail en groupe (stages de trois week-ends répartis sur neuf mois), un exercice de voix parlée est prévu au début du premier week-end. Ce test permet de dresser le bilan de la maturation et des acquis vocaux; il constitue la plateforme, la rampe de lancement de l'évolution à venir.

En plus du perfectionnement intervenu dans la maîtrise du souffle et du son, une évolution est décelable dans la profondeur, la rigueur et la sobriété du message, ainsi que dans la vérité vibratoire de la communication et dans les changements physiologiques [1].

Le principe de ce travail consiste à effacer le paraître pour le remplacer par l'Être; il s'agit d'apprendre à être face à soi, donc face aux autres dans la communication. Dans un premier temps, chaque élève ou presque, lorsqu'il se présente au groupe, s'exprime superficiellement, disant un peu n'importe quoi pour s'échapper. Puis, au

---

1. Auparavant, les élèves regrettaient de ne pouvoir disposer d'aucun enregistrement leur permettant de comparer leur voix en début de travail et en cours de travail. Maintenant, ils souhaiteraient plutôt des photographies, pour objectiver les modifications intervenues sur le plan physiologique. Ces demandes, toujours exprimées après coup, témoignent d'un souci bien légitime d'auto-évaluation. Ce passage du son à l'image est aussi démonstratif de l'évolution que ce travail a connue, au cours des dernières années.

fur et à mesure que s'approfondit le travail sur l'instrument, le discours change : les participants vont au fond d'eux-mêmes et disent l'essentiel avec beaucoup de calme. De manière visible et audible, quelque chose d'autre que l'individu parle et chante. Parleur, lecteur ou chanteur, l'élève ne s'efforce plus de contrôler sa voix. Il est au contraire maîtrisé par *quelque chose* qui est sa voix/voie.

Après ces premiers exercices d'improvisation et de lecture qui situent les problèmes et ébauchent les solutions, le travail sur la voix chantée déstructure et restructure simultanément, en agissant, comme il a été signalé plus haut, sur les sept chakras. On sait déjà que, au niveau des deux premiers, siège la force vitale. Les chakras 3,4,5 (ce dernier situé à la gorge, lieu de passage délicat du souffle et de la voix) sont liés à l'affectivité tandis que 6 et 7 focalisent la vie spirituelle [1]. Les gros problèmes se situent toujours au niveau de la voix parlée, directement liée aux affects, dans cette zone intermédiaire 3/4/5 qui couvre la cage thoracique et le système de phonation. Le chakra 5, il faut y insister, est le plus difficile à « passer ». Il s'agit d'une position stratégique qui commande toute l'harmonisation de l'Être : l'appareil de phonation s'y trouve enchâssé dans un véritable goulot d'étranglement, au point de jonction entre la verticalité du corps (la colonne) et son horizontalité, matérialisée dans l'espace par la ligne épaules-bras étendus. Le chakra 5, par où filtre le souffle, transformant la force en pression et le

1. Les chakras 6 et 7 peuvent recevoir une dénomination différente : les élèves ont toute latitude de les qualifier de mentaux ou d'intellectuels, si tel est leur souhait. De même, quand les ouvrages de Dürckheim et de Herrigel sont utilisés en travail de groupe, un triple message physiologique, psychologique et spirituel y est toujours mis en évidence ; mais ce dernier terme n'est jamais imposé : comme le dit Guénon, à un certain niveau de conscience, plus aucune distinction ne peut se justifier entre intellectualité et spiritualité.

travail musculaire en vibration, se situe très précisément au croisement des axes où s'équilibrent, dans la géométrie humaine, le niveau et la perpendiculaire.

Tout le travail par le souffle et le son consiste à libérer les tensions d'origine affective qui bloquent le haut du corps : rachis dorsal, poitrine, épaules, nuque, mâchoires. Il s'agit d'user toute cette énergie parasitaire que l'anxiété a accumulée, dans la colonne dorsale surtout, pour qu'elle bascule dans le hara et y rejoigne l'énergie vitale dont elle s'était plus ou moins séparée. Ce retour à la terre, qui contribue à planter et enraciner la croix humaine, permet de la reconstruire à partir d'une statique stabilisée et affermie.

La « tranche du milieu » des chakras 3,4,5, qui entrave le devenir de l'Être, me fait penser à un sablier hors d'usage, dont les petits grains minéraux resteraient en suspension dans le vase supérieur de l'instrument. Cette stagnation bloque toute évolution vers le spirituel. Le travail de la voix chantée vise à nettoyer l'étranglement médian pour rétablir l'écoulement à travers la « porte étroite » et le remplissage du compartiment inférieur, qui rendent au sablier la plénitude de sa fonction.

Déstructurer le haut pour *remplir* le bas : tel est le principe de la méthode. Le sable bloqué à l'étage correspond à des énergies captives et détournées qui doivent réintégrer leur réceptacle et peuvent, à point nommé, subir un mouvement de bascule. L'image du sablier met en évidence le fait qu'une personnalité vraie et forte ne peut se reconstruire sans dissolution du personnage fabriqué, sans nettoyage de l'ego : la partie supérieure du sablier, une fois vidée de ce qui l'encombrait, devient disponible pour un autre mode de comportement – accepter toutes ses émotions et les vivre sans en être submergé.

Autre formulation de ce combat intérieur qui s'apparente parfois au jeu des chaises musicales : il n'est pas possible de laisser mourir Mr Hyde sans convoquer le Dr Jekyll à son chevet. Auparavant, Mr Hyde fermait sa porte au Dr Jekyll. C'était l'époque où il « se portait bien ». Mais maintenant qu'il se sent mal, il permet au Dr Jekyll d'entrer, d'aller et venir à sa guise. L'homme de l'art a enfin retrouvé son feu et son lieu. Il respire et vit mieux au fur et à mesure que l'autre s'agite et entre en agonie. Une période de flottement survient dans la maison : au moment où son locataire va rendre le dernier soupir, le propriétaire de l'immeuble hésite à faire confiance au Dr Jekyll, ce nouvel être qui fait irruption et qui le prie d'occuper désormais lui-même sa propre habitation.

Mais Hyde a la peau dure. Il se défend avec une sorte d'acharnement, et avec une mauvaise foi évidente qui fait s'esclaffer le Dr Jekyll.

C'est ainsi que des élèves se présentent parfois aux séances en se disant *vidés*. Or, par les sons qu'ils émettent, ils démontrent qu'ils tiennent véritablement une *forme* exceptionnelle – signe qu'ils ne se sont pas encore *reconnus* [1]. La lassitude de Mr Hyde est encore la leur. Brusquement, on les voit et les entend changer de logique, de comportement, de discours : ils se sensibilisent à cette *présence* en eux, à laquelle ils ne pouvaient jusque-là s'identifier et qui les ouvre, le plus souvent, à des préoccupations tout à fait neuves d'ordre humain, psychologique et spirituel. Ces centres d'intérêt leur viennent du plus profond de leur être, par une espèce de nécessité intérieure qu'ils ne s'expliquent pas et que, d'ailleurs, ils ne cherchent guère à s'expliquer, car ils ont appris à accueillir, à accueillir simplement ce genre d'aspirations.

---

1. Cette période de dédoublement entre l'être et le personnage se marque parfois par une accentuation des caractéristiques de latéralité du visage : le chanteur présente alors un visage gauche en singulier contraste avec le visage droit.

Les motivations qui les animent désormais ne résultent plus d'une démarche intellectualiste. Elles viennent d'ailleurs.

Vérité vocale, vérité du corps

Comme on l'a signalé plus haut, cette méthode est susceptible de s'appliquer à chacun dans la mesure où le principe du travail est identique pour tout le monde, à quelques nuances près, qui concernent les différences physiologiques et psychologiques entre l'homme et la femme. Mais les itinéraires que parcourent les néophytes ne sont jamais semblables. Mieux encore : un élève ne vit jamais deux séances identiques. Ce travail en perpétuel devenir ne permet jamais de faire une pause, ni de sombrer dans la routine.

Chaque séance commence par un exercice qui fait le bilan des acquis. D'après les informations qu'apporte ce test, l'élève et l'enseignant vont de l'avant, pour tâcher de combler les lacunes constatées. Ces prestations requièrent beaucoup de souplesse de la part du formateur et une vigilance de chaque fraction de seconde. En fonction du son qu'émet l'individu et de l'attitude corporelle correspondante, il doit rester disponible, prêt à s'engager instantanément dans n'importe quelle direction, à saisir toute occasion qui se présente pour toujours approfondir la quête de souffle, de son et de sens.

Laisser passer une opportunité qui survient tout à coup peut être grave : elle ne se représentera probablement pas avant longtemps. Il faut donc que le formateur réagisse avec promptitude.

Le travail, toujours renouvelé, est rendu passionnant par le fait que chaque personne constitue bel et bien un instrument différent, mais qui fonctionne selon un principe souffle-son d'ordre universel, quelles que soient la personnalité, la langue, la nationalité, la culture du chanteur [1]. Le rêve de tout « maître chanteur » serait d'un jour faire donner de la voix à de vrais jumeaux : enfin deux instruments similaires, deux souffles parallèles et deux sons semblables, au terme d'un seul itinéraire parcouru de conserve ?

Cette dernière hypothèse mise à part, jamais deux voix ne se ressemblent au terme du processus. En effet, la voix finale de l'élève ne résulte en aucun cas d'une fabrication extérieure, respectueuse des normes de l'enseignant – comme il en est généralement à l'issue de presque tous les cours de chant. L'apprentissage ici proposé, on l'aura compris, ne vise pas à soumettre l'élève à de quelconques canons esthétiques concoctés *a priori* mais à tenter de lui restituer la voix que la nature lui a donnée. Il se fait que cette voix, sa voix, est belle et grande, une vraie voix d'opéra. Constat rassurant sur le plan humain : il n'y a jamais de voix laide quand chacun atteint sa vérité vocale profonde. Les interventions du pédagogue consistent à guider l'élève sur le chemin de cette remise à l'endroit, et non à lui imposer de nouveaux carcans.

De quelle vérité s'agit-il au juste ? La vérité vocale de chacun d'entre nous est tributaire de notre physiologie, de notre psychologie et de notre spiritualité propres. A chacun de la rechercher par la démarche appropriée. En dépit d'une certaine typologie rassemblant divers profils de personnalités, on peut dire que cette démarche n'est

1. La diversification linguistique qu'a connue l'humanité depuis les origines mériterait une étude à un double point de vue. D'abord, serait-il possible d'estimer l'influence du tellurisme sur l'élaboration de telles langues en tels lieux ? Ensuite, quel impact chaque langue produit-elle, par sa façon spécifique d'employer et de privilégier certains sons, sur le comportement physiologique et psychique de ses locuteurs ?

jamais, dans le détail, deux fois exactement identique. Elle n'est jamais, non plus, entièrement communicable.

Entre autres types de personnalités vocales, se rencontrent des « hystéroïdes », surtout parmi les tempéraments féminins.

Doués d'une force vitale volcanique, ils bloquent leur énergie au larynx et la retournent contre eux-mêmes par le son. Comme l'appareil de phonation joue un rôle déterminant dans leur comportement, ils se retrouvent perpétuellement sous l'emprise de sons perturbants. Tout à fait capables d'aller chercher leur force vitale d'ordre sexuel dans le hara, ils ont édifié, au chakra 5, un barrage qu'il faut faire céder progressivement, lézarde après lézarde. Ce travail de sape est d'autant plus long à mener que bon nombre d'entre eux ont effectué un patient travail de camouflage mental qui leur a permis de faire régner une sorte de calme tout relatif – au niveau intellectuel – que leur corps contredit formellement.

Un autre type serait représenté par ces personnages qui ont bloqué leur voix sur les harmoniques graves pour retourner contre eux la force qui s'exprime d'elles. D'autres encore disposent de cette force, mais n'osent pas s'en servir : on dirait qu'un jour de leur enfance, ils ont voulu éviter une menace, mettre en sommeil un péril redoutable et s'en préserver *ad vitam*. Ce sont des êtres à réveiller et à révéler. Leur force, une fois ranimée, pourra s'investir, au fur et à mesure de sa libération, dans la reconstruction et la réharmonisation de l'Être.

Deux types bien contrastés peuvent encore être mis en évidence, en fonction de la réactivité de leur colonne. Chez les premiers, le rachis s'est durci, et noué en certains endroits; ces élèves présentent les cas relativement les plus faciles à résoudre, puisqu'on se trouve face à une force bien établie et localisée, qu'il est possible de détourner, diriger, dégager par les techniques adéquates. Chez les seconds, le rachis est construit en force et souplesse à la fois. Sur le plan énergétique, il a la flexibilité d'un roseau : si on traque une tension à un endroit bien précis, elle se réfugie ailleurs et ainsi de suite, d'une position de repli à l'autre. Dans ce cas, il ne suffira plus d'évacuer les tensions; il faudra en même temps veiller à rétablir une cohérence, une continuité.

Quel que soit le type de personnalité envisagé, un tabou fondamental se rencontre communément dans notre culture judéo-chrétienne : la peur de ranimer la sexualité et de stimuler ce *serpent* que les Orientaux nomment la *kundalini.* Il s'agit d'une force qui, lovée au bas de la colonne vertébrale, peut se déployer et s'élever verticalement jusqu'au-dessus de la fontanelle, par l'exercice du souffle et l'action sur chaque chakra que le reptile réveillé atteint, degré après degré, vertèbre après vertèbre. Le caducée, version occidentale du même symbole, est peut-être encore plus explicite : l'épine dorsale y est figurée par un bâton, qui rapproche ainsi l'homme de l'arbre. Mais cet être enraciné a une vocation céleste : le bâton est muni d'ailes. Et le serpent vient cracher son venin dans une coupe surmontant la tige. C'est dire que le venin devient remède, le reptile oiseau, l'énergie sexuelle réalisation spirituelle et l'arbre, un être humain enfin advenu dans sa plénitude. Un second serpent peut alors, entrecroisé au premier, redescendre le long de l'axe entretemps purifié et transmuté en or; la communication est rétablie, continuelle, dans les deux sens, entre les deux polarités Yin et Yang de la médecine traditionnelle chinoise.

Sur le plan profane, la crainte du feu-serpent s'exprime de diverses manières : ou bien le chanteur retourne cette force d'origine sexuelle contre lui-même en étouffant sa voix et en niant son corps; ou bien, dans les formes de comportements proches de l'hystérie, il ressent sa sexualité comme perturbante, y compris à travers sa voix; ou bien le chanteur ignore complètement cette force issue des deux premiers chakras et la dévie vers le haut, où un système de tensions déjà abondamment décrit fait bouchon.

Sur le plan sacré [1], dans la tradition vocale catholique, on constate que l'inversion de sens symbolique du serpent, maintenant assimilé au péché de la chair et aux interdits sexuels, est à rapprocher de la déformation progressive qu'a connue le chant grégorien. Dans les communautés monastiques, le chant sacré ne concerne plus que le haut du corps; le reste est rejeté dans les ténèbres extérieures. Ainsi pratiqué, le grégorien est une aberration complète, source fréquente de problèmes de santé, d'ordre respiratoire, statique et vocal.

Peut-être serait-il possible d'établir un parallèle entre cette surélévation des voix et le passage de l'architecture romane au style gothique. La première, par les formes trapues auxquelles invite l'arc en plein cintre, donne toujours la sensation de garder avec le sol un contact naturel et nécessaire. Le second, dans ses œuvres les plus audacieuses, frappe par sa tension verticale. Mal perçu ou mal interprété, il pourrait mener à une oraison qui, annulant le corps, n'aurait plus en vue que la flèche du clocher.

Pour étayer notre idéal d'un *juste milieu* dans l'interprétation du chant grégorien, il suffirait de revisiter, en pleine conscience, la cathédrale gothique, de *fond en comble* : commencer par explorer la crypte, puis examiner les arcs-boutants, les murailles, les colonnes, les croisées d'ogives, avant de découvrir le foisonnement des sculp-

---

1. La distinction entre sacré et profane ne vaut que dans la société moderne. Traditionnellement, elle ne se justifie pas : tout acte a une dimension sacrée qui lui confère un sens précis.

tures intérieures et extérieures, le flamboiement des vitraux, pour terminer par l'examen des charpentes et des toitures. L'aiguille de l'édifice impliquerait dès lors un ultime dépassement; elle est un axe, non un axiome.

Ni les spécialistes du grégorien, ni la littérature qui y est consacrée ne mentionnent une tradition vocale qui justifierait l'usage actuel. Si beaucoup de recherches s'attachent à la tradition culturelle et au style du grégorien, aucun ancien ouvrage n'indique apparemment son mode d'emploi vocal.

Force est donc bien de percevoir, dans la praxis contemporaine, l'écho d'une tradition faussée, c'est-à-dire coupée de son inspiration originelle et de ses fondements anatomico-physiologiques : j'imagine mal le brave moine, agriculteur, constructeur ou artisan du Moyen Age, chanter le grégorien avec les voix d'aujourd'hui. C'est tout simplement hors de question. La pratique actuelle du chant sacré, qui résulte d'une approche intellectualisée et d'une volonté de nier le corps, maintient très artificiellement des voix haut perchées et, de ce fait, pousse les exécutants à censurer le bas de leur corps.

D'ailleurs, il est bien possible que cette conception du grégorien s'alimente à une tradition vocale religieuse très particulière, celle des castrats. Le dernier d'entre eux, dont subsistent des enregistrements, serait mort à la charnière des XIXe et XXe siècles, soit à la fin d'une époque où l'on estimait encore que, les femmes n'ayant pas accès au sacré, leurs voix ne devaient pas s'exprimer dans une église. Le problème aurait, dès lors, été contourné par la castration de jeunes garçons auxquels cette opération permettait de conserver leur voix de soprano. Parallèlement, en cette même époque préclassique et classique, était-il mal vu que les femmes jouassent au théâtre : leurs rôles étaient tenus par des « hommes ». A vrai dire, toutes ces voix contre nature sont non seulement inaudibles, mais encore irritantes. En outre, s'il est vrai que les femmes ne sont traditionnellement pas habilitées à célébrer le service divin (donnant la vie, elles ne peuvent sacrifier), ni à pratiquer certains rites initiatiques de polarité virile, elles sont, par contre, parfaitement aptes à la consécration, et capables de transmettre certaines dignités, comme la chevalerie, à d'autres femmes et... aux hommes. Peut-être, dans une spiritualité assainie de ses faux-semblants, l'homme et la femme de l'avenir trouveront-ils leur juste position, dictée par leur corps, leur psyché et leur voix, le couple religieux et initiatique prenant alors place aux côtés du moine et de la moniale?

Quoi qu'il en soit, ce qui est demandé dans la vie monastique n'est pas, selon toute vraisemblance, d'ignorer la force sexuelle, mais au contraire de l'accepter et de la maîtriser pour la sublimer. Vouloir y échapper est une fuite qui prive le chant spirituel de toute force tellurique de rayonnement. La vérité du chant spirituel est à cet égard représentée dans le monde chrétien par l'orthodoxie – à la croisée des chemins entre Orient et Occident – qui accepte l'épanouissement du corps dans la spiritualité ou de la spiritualité dans le corps.

L'hésychasme, ou prière du cœur, fondé sur la répétition inlassable d'un *mantra* en parfaite harmonie avec la maîtrise du respiratoire profond, témoigne, si besoin en était, de cet accord que recherchent les spirituels des Églises orientales. De même, le chant juif paraît épanoui et radieux, bien à l'image de certaines pratiques de prière très « physiques », qu'on rencontre surtout chez les Hassidim.

Par contre, les chants extrême-orientaux semblent très enfoncés dans la terre, véritables cathédrales sans clochers, alors que le grégorien ferait songer à un clocher sans cathédrale, privé de fondement, d'influx tellurique. Si l'être humain se définit en tant qu'être vertical communiquant par la voix, alors il appartient au maître de chant de rappeler qu'il n'y a pas de verticalité vraie sans enracinement terrien ni sans perspective céleste. La médecine traditionnelle chinoise et toute la symbolique universelle présentent l'être humain comme un médiateur entre la Terre et le Ciel. Solidement campé sur le sol, l'homme debout chante, et son chant s'élève, et son chant l'élève, le fait élève. En lui, venant des tréfonds, le serpent lentement se déroule. Ce reptile de feu n'est plus l'animal du péché.

Lecture du corps, jeu des harmoniques et vocalisation

En dépit de l'insistance qui vient d'être mise à décrire quelques types de personnalités vocales parmi d'autres, l'essentiel du travail ne consiste évidemment pas dans le fait de classer, dès l'abord, chaque élève dans la catégorie qui lui convient. Chaque cas est particulier; il exige simultanément :

– une lecture attentive du corps;
– une écoute de l'utilisation qui est faite de la voix;
– une estimation précise des dysfonctionnements physiologiques par rapport au schéma qui détermine les relations dynamiques entre le centre, la prise au sol, la verticalité et la traversée des tensions.

Le son permet de déceler *le centre de gravité vocal* dont se sert l'individu, de le lui faire quitter peu à peu pour réintégrer son centre véritable : le hara.

La situation du *centre de gravité vocal* est symbolique de la manière dont le chanteur utilise ses énergies. Ce comportement énergétique permet d'identifier les zones de tensions, d'obtenir un lâcher prise satisfaisant dans le haut du corps, de retrouver plus de force en accédant plus profondément au hara et, à partir de là, de rétablir une verticalité vraie en exploitant le son i.

La méthode, à la fois et à chaque instant diagnostique et thérapeutique, obéit à des paramètres très précis. Sa particularité et son originalité, qui frappent de prime abord, s'inspirent pourtant de principes d'ordre universel : le travail sur l'instrument humain, qui s'effectue par la voix chantée, cherche à obtenir et à maintenir un mélange vrai entre harmoniques graves et aiguës, en utilisant, entre autres outils, la verticalité du i, la rondeur du o, le *mantra* yé-yi-you-ya et les arpèges. Plus n'est besoin, lorsque le chant a commencé son œuvre intérieure, de revenir à la voix parlée : celle-ci, en même temps que l'instrument corporel, changera insensiblement, à l'insu de l'élève.

Comme il a été signalé plus haut, il est possible, en quelques secondes, de faire basculer la voix habituelle du chanteur pour lui montrer ce qu'elle deviendrait si elle était intériorisée. Mais si l'individu désirait exploiter sur-le-champ cette expérimentation, il risquerait la chute en changeant brutalement de centre de gravité. Le travail doit donc se faire progressivement. Chercher à imposer tout à coup cette voix nouvelle serait, de toute façon, maladroit, car elle paraîtrait subjectivement encore plus fabriquée et artificielle que l'actuelle. Le chanteur a besoin de temps pour se reconnaître, pour se retrouver vraiment.

C'est donc peu à peu que la voix chantée, puis parlée, se modifie au fur et à mesure que les accords changent, que le réflexe respiratoire s'assainit, qu'un calme profond s'installe, que les tensions s'émoussent. En même temps que la voix change, l'ensemble de la personnalité évolue vers plus de transparence : de plus en plus, l'élève ose être en force et en jugement, tant face à soi-même que sous le regard d'autrui.

Après la lecture du corps, il est nécessaire de prendre clairement conscience du jeu des harmoniques graves et des harmoniques aiguës. Toute la méthode consiste en effet à retrouver en chaque individu le mélange vrai entre les graves et les aiguës. Très schématiquement, on considère d'habitude que quatre-vingt-dix pour cent d'harmoniques graves et dix pour cent d'harmoniques aiguës entrent dans la composition de la note la plus grave. Pour la note la plus aiguë, cette proportion se retrouve inversée. Les autres notes sont constituées d'un mélange perpétuel et bien équilibré des deux harmoniques.

A ce jeu entre harmoniques correspond un autre, entre énergie et direction ou entre force et jugement. La force s'assimile aux harmoniques graves et la direction aux harmoniques aiguës. La force du cri, du noyau vocal, est très confuse : il s'agit du cri du bébé, ce petit d'homme qui, n'étant pas encore arc humain, ne peut se tendre pour lâcher sa flèche. Il faut donc commencer par définir, chez l'adulte, cette force initiale en allant la chercher ou la replacer dans les deux premiers chakras, pour la concentrer ensuite dans une direction toujours plus précise – la pointe de la flèche en tir à l'arc – qui, dans la voix, correspond au i. Le chanteur tâchera, dans cette perspective, d'obtenir toujours plus de i et toujours plus de force concentrée. Le travail du formateur consiste à centrer les individus en les faisant redescendre dans leur foyer, dans le noyau de leur être. Ce centre peut se comparer au moyeu d'une roue dont les multiples rayons constitueraient autant de démarches individuelles possibles, parmi lesquelles le chant, qu'il n'est pas question de privilégier ici. Nous croyons toutefois que le chanteur qui acceptera de passer par cette démarche peut devenir un artiste de grande dimension – c'est-à-dire avant tout un artiste de lui-même, un grand interprète de la vie qui sourd en lui.

L'attention portée à la statique corporelle et le jeu des harmoniques entre force et direction se doublent d'une utilisation judicieuse des voyelles chantées. Alfredo Kraus, grand ténor et technicien de la voix, s'est exprimé à plusieurs reprises à ce sujet, dans une interview publiée par *L'Express*, notamment. Il rappelle que i résonne en haut de la bouche, entre les deux incisives supérieures; é dans l'avant de la bouche; a tout en bas, dans la gorge.

Expérience faite, il apparaît que i est, par excellence, le son de la verticalité, à la fois fil conducteur sur lequel il faut *tirer* et *pointe de la flèche* qui précise la direction du son. Plus le i s'enrichit d'harmoniques graves et aiguës, plus cette voyelle se complète de vibrations jouant sur tout le corps, des pieds à la tête. Mais ce son négocie difficilement le passage du cinquième chakra (larynx). Presque toujours, il faut se servir d'un son *rond* comme o fermé [1] ou u pour introduire i, pour l'amener rondement dans la bouche sans crispation de la mâchoire. Ainsi, quand le souffle respiratoire devient pression, il n'y a plus de places différentes pour chaque voyelle : tous les sons prennent celle du i.

Cette transformation du souffle en pression se produit dans le corps humain un peu comme dans une machine à vapeur. En nous aussi, un feu caché opère un changement d'état : l'eau devient vapeur; ce gaz sature toute la structure corporelle, se concentre en énergie dans un endroit précis pour produire un certain travail. Le train s'ébranle, la locomotive siffle, l'homme chante.

Dans la cuve humaine, il convient de rassembler un souffle puissant et positif après avoir ranimé le foyer. Ensuite, il importe d'imprimer au souffle une direction

1. Comme dans *oser*.

précise en le concentrant au chakra 5. Ainsi se construit la dynamique nécessaire au démarrage de ce train de notes sonores qu'est le chant. Mais la pression nécessaire ne sera obtenue que si toute la carcasse est à la fois bien remplie et solidement charpentée. Une fois la force transformée en pression, la voix sort vraiment toute seule. Mais voilà : cette force doit être constamment réveillée, remise en question, entretenue et amplifiée. C'est le rôle dévolu au « voyage intérieur », cette manière d'introspection psychosomatique à laquelle la méthode de travail tente d'initier constamment l'élève. Il faut, idéalement à chaque seconde, être à l'écoute de son corps et de ses émotions; conscient de sa recherche de verticalité, être *dans* sa respiration à longueur de journée, c'est-à-dire conscient de ce qu'elle est en rythme, en prise d'air et en écoulement; vivre dans son corps, en percevoir l'adaptation permanente à la pression qu'exigent de lui la parole, le chant, qui est une sorte de tir à l'arc, ou le silence.

Dès que cette force est à l'œuvre en moi, sans être *mienne*, il m'arrive de me ressentir au travers de deux personnages distincts : l'un recroquevillé sous le faix des tracas de travail ou de santé, l'autre très fort et très droit, qui observe ironiquement son comparse. J'ai souvent l'intuition que le premier est appelé à mourir un peu plus chaque jour, pour finir par disparaître corps et biens. Le second seul restera et, même s'il *décroche* un jour, il en subsistera bien quelque chose.

Puisque nous voici à l'alinéa des fins dernières, une petite précision s'impose : beaucoup de gens passent leur vie en fonctionnant sur une énergie totalement distordue – et vivent néanmoins très vieux. Il ne faudrait pas confondre cette méthode de chant avec un élixir de longue vie. Par contre, elle est peut-être de nature à engager l'individu qui s'y consacre dans une recherche de qualité de vie. Mais, pas d'illusions! Ce genre d'écrit ne vous servira à rien, ami lecteur, s'il ne parle qu'à votre mental. C'est à votre corps qu'il s'adresse.

Kraus a parfaitement raison : il faut faire passer le a à la place du é et le é à celle du i. En fait, toute la voix est résumée par l'émission de yé-yi-you-ya : il s'agit d'un mantra très fort dont d'Arkor s'était servi à l'époque où j'avais eu recours à lui. Il le tenait lui-même, sans doute, de son vieux professeur de chant. Très au fait de la force de cet outil pour la remise en place d'une voix, il n'en avait cependant pas perçu toute la portée philosophique : yé-yi-you-ya présente le son yod [j], souvent nommé en phonétique française « i consonne ». Ce yod se retrouve notamment dans les vocables tels *Yaweh, alléluia, Yirous-halayim...* et il joue dans le mantra de la voix le rôle du fil conducteur qui redresse le schéma corporel. Son prononcé le plus en avant de la bouche, il peut se comparer à la pointe de la flèche horizontale dont l'exacte position au moment du tir et du chant détermine la juste courbure de l'arc et l'exacte verticalité du corps.

Le principe total de la voix est inclu dans yé-yi-you-ya : d'un son émis au départ de la verticalité (yé), le chanteur passe au son le plus antérieur (yi), puis place dans ce moule le ou et le a, sons ouverts qui doivent se trouver dans la couverture du i [1]. Le a, son le plus complet et le plus dangereux de la voix, se présente comme la résultante de tout le mantra. Il doit avoir accumulé la richesse des trois sons précédents avant de couronner, en quelque sorte, le travail. Au cours de chant, en milieu scolaire, a est le son sur lequel on fait d'emblée s'escrimer les élèves ... C'est une ineptie. A ne devrait être vocalisé qu'après des années de travail, après la reconstruction de

1. En italien : *aperto coperto*, « ouvert et couvert ».

l'instrument. A résonne au niveau de la gorge et y entraîne toute la voix parlée : mais, selon l'évolution de chaque personne depuis l'enfance, l'émission de cette voyelle subit des traitements différents. Les gens calmes et paisibles (cas rarissimes) la font couler naturellement pour qu'elle s'en aille rejoindre le i; tout vrai chanteur ne pratique pas autrement. Chez les autres, a est employé sur des tensions, des contractions qui l'entraînent au fond de la gorge. Ce son, que l'on croit le plus facile à prononcer, est bien le plus périlleux qui soit.

Cette mise au point sur les difficultés inhérentes au a donne l'occasion d'ouvrir une parenthèse. Il faut attirer l'attention du lecteur sur ces « élèves » inconscients qui, après avoir participé à quelques séances seulement, ou à un stage en dynamique de groupe, ou à quelques week-ends, estiment pouvoir employer ces nouveaux outils qu'ils pensent détenir et jouer ainsi aux apprentis sorciers.

Il s'agit presque toujours de gens en recherche de pouvoir et d'argent, surtout de pouvoir; ils ont compris qu'à travers ce travail, il est possible de prendre l'ascendant sur autrui en induisant en lui un état malsain de trouble physiologique et émotionnel. Comme toujours, un outil, quel qu'il soit, doit être utilisé en connaissance de cause, sinon il devient, entre des mains indignes ou malhabiles, une arme redoutable. Le travail sur le souffle et le son est d'ordre initiatique. Le maître de chant doit donc amener l'élève à passer par des morts successives. Nul ne peut introduire ni accompagner un néophyte dans ce processus s'il n'a pas accepté lui-même de mourir. Dans le domaine de la voix, tout formateur malhonnête, dont les motivations profondes seraient de l'ordre du pouvoir et de la manipulation des consciences, fonderait sans difficulté une secte.

Pour couper les ailes à cet oiseau de proie qui plane en nous, j'essaie d'aiguiser avec ferveur, surtout en travail de groupe, les cisailles de l'humour. Il faut se défier de ceux qui ne savent pas se déconnecter, se distancier par le rire. Il faut dénoncer tous ces gens qui se prennent au sérieux dès qu'ils croient avoir assimilé quelques bribes de savoir : ils font courir, aux autres et à eux-mêmes, des risques inconsidérés. L'attitude juste allie l'humour et l'humilité. Celui qui veut exercer ce métier doit avoir reçu au préalable, comme pour tout métier, une sorte de don. Il n'est que le vecteur d'une connaissance vocale qui passe par lui, qui n'est pas lui et qui le dépasse. Toute autre prétention n'est qu'enflure ridicule et... virulente.

Dans une autre interview publiée dans *Le Monde de la musique*, Alfredo Kraus déclare que « pour obtenir la couleur exacte d'une voix, il suffit de demander au chanteur d'émettre un i latin; cela place déjà la voix dans le masque ». Kraus semble donc attaché au i latin, alors que d'autres se réfèrent au i germanique. A la réflexion, ne sont-ils pas tous dans l'erreur? Ne vaudrait-il pas mieux évoquer un i universel? On sait que, en fonction des fréquences inhérentes à chaque langue et chaque ethnie, i prend une coloration différente. Mais faut-il s'y arrêter? Un i chanté par un instrument reconstruit et neutre est nécessairement universel. Cela admis, force est bien d'observer que le i germanique, plus rond, mélange le i et le ü. Son émission est produite par un tube plus vrai que le i latin, lequel risque toujours d'être assez contracté et strident, avec un rapport force-tension qui peut perturber la nuque, les épaules et la mâchoire inférieure.

« Les radios montrent, poursuit Kraus, que la voyelle i ouvre complètement les cavités laryngées alors que a les ferme. I est très riche en fréquences harmoniques alors que a en est avare. I, sonorité pure comparable à celle que vous obtenez quand vous faites tinter un verre de cristal en le frappant avec un couteau, voyage bien dans l'espace. Comment faire voyager a? Tout simplement en le plaçant dans la même cavité que i; c'est la base même du chant, qui reste valable du grave à l'aigu... »

La description clinique de Kraus résulte d'une observation technique qui tente de reconstituer le processus spontané du phénomène vocal tel que le produirait un instrument bien construit. La comparaison avec l'art du tir à l'arc s'impose à nouveau : l'objectif n'est réellement atteint qu'à condition de s'être exercé à ne pas le poursuivre; il faut commencer par être cet arc qui se bande, cette flèche qui trouve sa place juste dans le prolongement d'un bras, cette trajectoire courbe qui se dessine dans l'espace, cette pure énergie qui se libère à point nommé. En dehors de l'ascèse de l'archer, il n'y a plus de place que pour des considérations de technique sportive, dans le sens de compétition et de performance du mot « sport ».

Pour en finir avec ce débat sur les deux i, précisons encore ceci : la vision de Kraus, celle du i latin, fait référence à une école de bel canto à la Bellini. Le i germanique, par contre, sans changer de place, donne plus de profondeur au chant : c'est le principe des voix wagnériennes, des grandes voix allemandes [1], proches de cette dimension mythique de la voix que nous ont léguée la tragédie grecque et certaines formes de théâtre traditionnel.

1. Le chant vrai résulte toujours d'une reconstruction complète de l'instrument. Chanter, c'est laisser couler la voix, comme coule naturellement le cri du bébé. Les grandes voix d'antan émanaient de véritables « bébés bien reconstruits », de chanteurs qui chantaient comme ils parlaient, pour ainsi dire jusqu'à la veille de leur mort, à l'encontre de certains artistes actuels qui font des carrières éclairs. Pour illustrer cette longévité vocale, citons Helge Roswaenge, qui fit ses débuts sur scène aux États-Unis à soixante-cinq ans, Germaine Lubin, Hans Hotter, Gotlob Frick, Kirsten Flagstadt, Hans Beirer, Lauritz Melchior, Max Lorenz et, plus près de nous, Astrid Varnay...

Le lien, en effet, est direct entre théâtre grec et opéra wagnérien : l'un et l'autre, imprégnés de mythologie, illustrent bien le sens sacré – le sens *theos* – de cet art de la représentation.

Exploiter le souffle et le son, deux énergies d'ordre universel, pour transmettre un message mythique : tel est le symbole fondateur de tout théâtre traditionnel, qu'on rencontre aussi au Japon, par exemple, avec le nô.

L'opéra a hérité de ces tendances et sans doute Wagner [1] est-il avec Gluck par exemple, notamment dans l'exploitation de ses thèmes, le continuateur le plus vrai, le plus génial, de ce rituel de transmission par le cri devenu beau chant et pas seulement bel canto brillant, mais superficiel. Beau chant, fort, vrai, complet, qui communique, à travers une musique superbe, les thèmes les plus « enthousiasmants [2] » de la mythologie nordique.

Seul, cet art peut toucher l'individu en profondeur, non pas seulement dans son mental mais dans son être complet : ni théâtre intellectuel, ni théâtre émotionnel, mais art total incluant le chant, l'orchestre, l'expression corporelle, la composition picturale, il transforme les spectateurs en participants en modifiant leur état vibratoire. C'est la raison profonde pour laquelle l'opéra, art en pleine recherche aujourd'hui, renforce constamment son impact auprès d'un public de plus en plus large.

Cette même différence entre la conception profane du théâtre (simple spectacle distrayant) et sa fonction sacrée se retrouve chez les chanteurs : il y a des chanteurs-instruments et des artistes initiés. Par exemple, Pavarotti, superbe mécanique vocale, type même du « bébé bien

1. Malgré ce que disent ses détracteurs, qui confondent son œuvre et la récupération qui en a été faite dans les années brunes.

2. Enthousiasme signifie en grec « transport divin » et vient de *theos*, dieu.

reconstruit », est resté une belle machine à distiller de somptueuses notes. Par contre, un Wunderlich, malheureusement disparu trop tôt, tout aussi remarquable sur le plan technique, transmet en plus un message musical divin : c'est un chanteur initié illustrant à merveille l'aphorisme de Dürckheim, « La technique et le Tao; le Tao et la technique ».

Le travail de la voix sollicite et exalte l'être humain dans tous les domaines où il est capable de s'épanouir : restructuration du corps dans sa soufflerie, sa verticalité, son rééquilibrage et sa détente musculaires; neutralisation du psychisme, mais aussi éclosion d'une spiritualité qui, peu à peu, retentit sur la manière d'être.

Souffle, son, vibration

A propos de soufflerie, justement : il a été signalé plus haut que le chant est générosité et, donc, que l'expir doit l'être aussi. Mais cet expir généreux nécessaire au travail de la voix exige naturellement un inspir intense, complet et profond. C'est dire si la question de la respiration est souvent abordée pendant les séances. Comment faut-il respirer? La respiration par le nez est-elle adéquate?

Selon un cliché répandu dès l'école gardienne, il faut absolument respirer par le nez, et sans doute cette prise d'air est-elle la plus vraie quand le corps est bien reconstruit. Mais pour la plupart des individus, ce mode respiratoire est devenu tout à fait superficiel : il ne concerne plus que le haut du corps. Force est bien de reconstruire la respiration du bâillement, la respiration totale, avant de recommencer à respirer par le nez. En tout cas, pour le chanteur, la respiration nasale est pratiquement impensable, car elle exige trop de temps – surtout que beaucoup présentent des déviations de la cloison nasale

Sans doute s'agit-il d'une respiration très reposante, mais seulement praticable en cas de pause particulièrement longue entre deux phrases musicales.

Je persistais à lui préférer la respiration buccale, qui est celle des quatre premiers chakras. La nasale, elle, doit en plus traverser le cinquième, ouvrir les sixième et septième chakras, sans que le sujet se déconnecte des quatre premiers, et là réside toute la difficulté.

La respiration par le nez n'est pas forcément plus superficielle que l'autre, mais nous avons été si handicapés sur le plan de l'inspiration qu'elle l'est effectivement devenue.

Bien qu'on le préconise, il est difficile d'imaginer un sportif en plein effort respirant par le nez. Dans les arts martiaux, la respiration nasale est imposée. Mais comment faire quand le nez est encombré? Le climat nordique ou tempéré maritime, frais et humide, ne facilite guère les choses. L'inspiration nasale convient certes en début d'effort, mais plus l'effort devient exigeant, plus cette inspiration risque d'être tirée vers le haut. Ce n'est pas pour rien que les sportifs parlent de trouver leur « second souffle » quand ils doivent dépasser un problème d'emballement respiratoire pour avoir accès à une force plus grande provoquée par une meilleure décontraction.

En natation, il est impossible de respirer par le nez. C'est pourtant une discipline sportive très vraie. En vérité, tous ces clichés ne doivent-ils pas être relativisés? On respire par le nez ou par la bouche selon les nécessités du moment, et voilà tout. Dirai-je d'ailleurs que j'inspire? C'est déjà une erreur. Il faut en arriver au stade où l'inspiration se fait d'elle-même : c'est plus l'air qui est attiré à l'intérieur que « moi » qui essaie de l'y engouffrer. Je n'inspire pas, je suis inspiré et, selon les circonstances, l'air me vient par la bouche ou par le nez. Par la bouche, en une fraction de seconde, si je parle; le même inspir par le nez prendrait trop de temps et ne parviendrait pas à assurer la continuité du discours. Par le nez, en bouffées longues et régulières, si je suis en toute décontraction ou en pleine recherche intérieure. Mais si je recours trop souvent à l'inspiration nasale avec mes élèves, je les coupe complètement des harmoniques graves.

J'en étais là dans mes réflexions, lorsque je fis, par hasard, une découverte, fin 1990, qui peut parfois rendre de grands services. Cette trouvaille résulte elle-même de la mise en évidence de deux énergies distinctes : celle du souffle et celle du son. Beaucoup de personnes font allusion à une multitude d'énergies. Dans la discipline vocale dont il est question ici, seules ces deux-là sont mises en œuvre, dans le but de les fusionner et de les harmoniser complètement. Or, l'emploi d'une certaine technique inspiratoire permet, lorsque l'élève est prêt, de les réunifier.

Il s'agit d'une inspiration nasale en longues saccades, qui se pratique parfois bras levés pour bien libérer les épaules. Ce procédé m'aide à déceler clairement les zones de blocage énergétique, à identifier le niveau de diaphragme concerné et à choisir la méthode adéquate pour dissoudre les tensions. Cet inspir nasal saccadé s'opère énergiquement par longues prises d'air successives, sans relâchement de la pression à chaque pause. Il permet de libérer les tensions vertébrales, de dégager le haut du corps et d'obtenir une concentration maximale dans le hara. Mais le formateur, toujours aux aguets des « ruses de l'adversaire », doit se méfier d'une inspiration trop courte, trop mentale, qui joue le jeu de l'énergie bloquée dans le haut du schéma corporel. Le chanteur ne peut, en aucun cas, adopter la « respiration du petit chien ».

Le recours à cette technique respiratoire n'enlève rien au fait que, dès qu'on se met à chanter un air, on ne peut inspirer ainsi, à moins qu'une pause de quelques mesures ne le permette. Mais pour le travail technique de la voix, cet inspir nasal en longues saccades produit une concentration de pression très remarquable, associée à une direction du son à la fois efficace et précise.

Avec le temps, la différence entre l'inspir buccal et l'inspir nasal s'est clarifiée : le premier renvoie à la rondeur, à la force brute qui émane du ventre du bébé; le second verticalise ce bouillonnement primitif en lui conférant une direction maîtrisée : la précision du i, notamment, s'en trouve améliorée et, par ailleurs, le travail gagne en sobriété, en efficacité et en neutralité émotionnelle.

Comme indiqué plus haut, cette méthode de travail sur et par la voix est à la fois diagnostique et thérapeutique, pour chacun des élèves. Ce schéma analytique et correcteur qui s'applique à tous doit cependant s'adapter, se moduler en fonction de l'infinie variété des cas individuels qui diffèrent tant par la physiologie que par la psychologie. Il faut donc aller à la recherche de la vérité fondamentale de chaque élève et du son fondamental de chacun d'entre eux, base de toute reconstruction authentique.

Qu'est-ce que le son fondamental? Dans un instrument de musique, il s'agit du son le plus grave, qui doit rester présent dans la richesse harmonique de tous les sons produits. D'après le *Larousse musical*, le son fondamental est

> « la note qui, dans l'harmonie tonale traditionnelle, engendre les autres notes d'un accord par le jeu des harmoniques, dit naturel. Dans tous les systèmes musicaux, la justesse de ces harmoniques n'est qu'approximative, surtout dans le système tempéré. Les notes engendrées par la fondamentale sont théoriquement la tierce, la quinte, la septième, la neuvième, les harmoniques plus élevées étant rarement utilisées dans l'harmonie ».

(A noter qu'il est frappant de constater dans ce type de travail vocal que, quand une voix se débloque par les exercices, c'est presque toujours à la tierce, à la quinte ou dans l'accord parfait. Mais poursuivons notre lecture.)

> « On dit qu'un accord est dans sa position fondamentale quand la note fondamentale est à la basse. On parle de basse fondamentale pour désigner la suite des notes fondamentales dans les enchaînements d'accords, ou plus précisément la suite des notes de basse telle qu'elle deviendrait si tous les accords étaient ramenés à leurs positions fondamentales. »

Dans l'instrument humain, le son fondamental, selon notre expérience, est le son le plus grave que puisse émettre l'individu en respectant la richesse harmonique de la voix, dans un rapport *souffle-son / force-direction* maîtrisé et neutre, c'est-à-dire, idéalement, libéré du mental. C'est un son très net et, quand le chanteur l'atteint, il sent sans aucun doute possible que c'est bien celui-là qui doit se développer dans toute sa voix.

Il s'agit d'un son et d'une note tout à fait personnels, à l'image de chaque individu, jamais deux fois identiques. Ils constituent la personnalité vocale de l'élève, donc en définitive sa personnalité vibratoire.

Mais, contrairement aux instruments « rigides » que confectionne le luthier, le corps humain fluctue continuellement, surtout s'il n'est pas bien construit et n'a pas neutralisé son mental. En fait, ce son fondamental est particulièrement instable en nous; équilibre juste et fragile entre graves et aiguës, il vibre au bas de la colonne vertébrale. Il faut l'y maintenir, là, dans le « fondement » de notre être. C'est à partir de cette base que se réédifieront parallèlement la voix et le corps, au prix d'une maîtrise (utopiquement) totale du respiratoire profond, de la direction du son et de l'affectivité.

Voilà pourquoi, avant de songer à reconstruire, il est si nécessaire de nettoyer le terrain émotionnel, de libérer le personnage des tensions qu'il a accumulées dans le haut de son corps : agir de la sorte permet de décontracter la base corporelle (sacrum et contact au sol par les jambes) et par là de dégager les harmoniques graves du son fondamental.

Ici se perçoit le lien très étroit unissant travail de la voix et redéfinition de la verticalité du chanteur qui retrouve son centre et se plante dans le sol. A partir du moment où l'énergie circule bien, l'élève, pour faire vibrer les aiguës, s'enracine de plus en plus dans la terre sans même en prendre conscience et, quand il va chercher les notes graves, il a tendance à se grandir. Il réagit comme un ressort qui s'étire alternativement à chaque extrémité, jusqu'à ce qu'il ait trouvé sa bonne statique.

Toute la méthode vise à planter des sonorités graves bien dirigées (et respectueuses de leur mélange harmonique avec les aiguës), sur lesquelles le chanteur prend appui pour grimper, demi-ton par demi-ton, en traversant et en abandonnant ses tensions. Lorsque le formateur l'étire au travers de ses harmoniques aiguës, en toute connaissance de cause, même au prix de sons affreux, se crée une rupture de une, deux, voire trois octaves. Ces sensations inattendues prennent l'élève au dépourvu et ouvrent une brèche : il s'agit de s'y engouffrer, et de profiter de cet instant de trouble pour le faire replonger immédiatement dans le grave, élargir sa base et, sur ce socle renforcé, poursuivre l'élévation de l'édifice.

Mais d'un simple coup d'œil [1] et d'oreille, le maître d'œuvre peut être amené à changer ses plans, quitte à

---

1. Observé par des ostéopathes, des adeptes des arts martiaux ou des praticiens en médecine traditionnelle chinoise, ce travail a suscité de leur part des rapprochements avec leurs disciplines respectives.

faire adopter à son élève des positions excessives : les beaux rachis ne se rencontrent-ils pas dans les pays où l'on porte sur la tête? Il faut souvent exagérer certaines postures pour retrouver, par réaction naturelle, une logique corporelle et fonctionnelle. Sans forcer les chanteurs à déambuler avec une jarre en équilibre sur le crâne, on peut leur appliquer cette pensée de Mao, dont l'apparente naïveté déconcertera les esprits forts : « Quand une barre a été tordue dans un sens, il faut la tordre dans l'autre pour la remettre droite [1]. »

L'homme est un être vibratoire dont l'instrument physiologique a été transformé, déformé ou délaissé. A la fois émetteur et récepteur, il lui faut rétablir la vérité vibratoire de son instrument : son corps. On imaginerait mal un musicien jouant avec un violon abîmé ou, tel un mime absurde, effectuant en silence tous les gestes du jeu en l'absence de violon ou d'archet. La méthode de travail sur la voix dont il est question dans cet ouvrage tente de rétablir le potentiel vibratoire de l'instrument émetteur et récepteur, de sorte que :

– il ne projette plus que des vibrations vraies;
– il identifie immédiatement toute vibration vraie.

Appliqué au langage, celui qu'on parle et qu'on écoute, cet art du son oblige à reconsidérer la place du mot dans la communication. En effet, quand je parle, ma voix est davantage chargée de communication que mon discours. Et quand j'écoute parler, c'est la voix de l'interlocuteur qui me pénètre en tant que message, et cette réception vibratoire conditionne mon attitude intérieure (physiologique, affective et intellectuelle) vis-à-vis du sens de ce qui m'est dit. Pour signifier, avec un certain agacement,

1. Citation de mémoire.

à quelqu'un qu'on le comprend, ne lui dit-on pas justement : « Je vous entends bien... »

C'est assez dire que la vibration prime sur le mot, parce qu'elle est plus révélatrice que lui : la vibration authentifie le mot et le mot ne prend tout son sens que s'il est en harmonie avec la vérité vibratoire de la voix qui l'exprime.

Dans son livre *La Voix de la vigilance intérieure*, S. Michael parle ainsi de l'écoute du son de sa voix :

> « C'est une opportunité de s'étudier et de mieux se connaître, d'apprendre à être distant de soi-même et non engagé dans ce qu'on dit, de demeurer intérieurement seul et libre quand on est avec d'autres, et enfin de devenir toujours plus vigilant et présent à soi-même [...]. Celui qui pratique ce travail se sentira curieusement séparé et distant de sa voix qui aura un son nouveau et authentique. Cette voix lui semblera s'élever d'une autre partie de son être, vibrant depuis les profondeurs de son plexus solaire [...]. Le but de ce travail mène à la connaissance et à la purification de soi-même [...]. »

On ne saurait mieux décrire, en moins de mots, le type d'ascèse qu'implique l'art du son : toujours rester vrai pour résonner et raisonner vrai. Cette vérité ne peut être atteinte et maintenue sans distanciation vis-à-vis du mental, sans cette sorte de neutralité intérieure qui procède de la maîtrise du souffle, du son et de l'attitude.

Dans l'instrument corporel de l'homme, le souffle, en traversant le système de phonation, génère des vibrations vocales : c'est là, nous l'avons vu, qu'il tombe dans un piège en forme de goulot d'étranglement, qu'il donne dans le traquenard du volontarisme et se laisse abuser par les leurres de l'intellect. Bref, on fabrique des mots alors que, si on respecte la logique naturelle du souffle converti en vibration, puis en son intérieur, puis en mot extérieur, la liaison spontanée se rétablit entre corps et esprit : la maîtrise du mental est assurée par celle du souffle et du son et, juste retour des choses, le détachement de l'intellect influe sur la sérénité respiratoire, sur la vérité du son, dans une harmonie rétablie entre le bas et le haut.

Pour signifier, il n'est pas nécessaire que le son s'incarne dans un mot. Le mot est au contraire une « trahison » : il joue un rôle central dans l'abandon de ce système primordial qui permet au bébé de communiquer par les sens. Or, ce mode d'expression est essentiel, et on le redécouvre ces années-ci en évoquant le « langage non verbal » qui recourt aux yeux, au toucher, au son, à la mimique et à la gestuelle.

Pour retrouver toute sa valeur, le mot devrait s'accorder à cet idiome animal au lieu de lui infliger la représentation permanente des anxiétés et des volontarismes qu'il met en scène. L'art du son est inséparable de tout un travail d'épuration, d'intériorisation, d'incorporation des sens : sans lui, le mot, à quelque langue qu'il appartienne, ne « sonne » pas harmonieusement.

Il y a la même différence entre son et mot qu'entre esprit et lettre. Le son vrai est lié à l'esprit : il en fait partie et, en même temps, s'en sépare pour l'exprimer. La lettre, si souvent en inadéquation avec l'esprit, apparaît comme asservie à une puissance étrangère, au même titre que le mot est mensonge chaque fois qu'est brisée sa relation avec la vibration authentique.

A propos de lettre, il faut se rappeler que toute tradition est d'abord orale. La transcription correspond toujours à une fixation, à une perte de vie et de sens. L'évolution collective et individuelle de l'humanité passe par les stades suivants, qui s'imbriquent et influent les uns sur les autres : énergies animales du souffle et du son, redressement vertical, affinement de l'habileté manuelle, développement de l'émotivité et de l'intellectualité, perte de l'authenticité du statut animal. L'invention de l'écriture s'insère entre les deux dernières étapes et contribue largement à la dénaturation de l'*Homo sapiens*. Le premier langage que l'homme ait véritablement structuré, celui des symboles, le reliait encore aux pulsations de l'Univers. Mais au fur et à mesure que se sont imposés des codes verbaux de plus en plus sophistiqués dans l'écriture, l'intellect s'est développé comme par scissiparité, sans plus être extérieurement fécondé d'en haut ni d'en bas. Cette folle multiplication cellulaire atteint son degré le plus tentaculaire avec l'expansion des technologies médiatiques et informatiques, qui substituent au monde réel une pure fiction d'images, de sonorités, de rythmes, de messages textuels ou oraux et de valeurs numériques.

Pour réintroduire le minimum vital de sens dans nos existences appauvries, il nous faudrait redécouvrir la tradition orale et, parallèlement, réutiliser des alphabets tridimensionnels conciliant mots et sons, esprit et lettre, phonogrammes et chiffres, comme dans la kabbale, ou encore tendre, à travers *la belle écriture*, à une synthèse picturale du monde des apparences et des principes, comme dans la calligraphie traditionnelle. A propos de tradition, justement, le travail sur la voix démontre qu'il n'est de tradition [1] vraie que de bouche à oreille, dans l'intimité d'une relation de maître à disciple où se transmet une expérience *incommunicable* – sauf entre deux êtres « faits pour s'entendre », pour vibrer ensemble.

A propos de communication par le son et la vibration, il serait utile d'effectuer une recherche avec des enfants autistes. Si le son déconnecté de l'intellect permet de retrouver l'authenticité vibratoire du corps, il doit être possible d'atteindre des résultats thérapeutiques dans ce

1. Étymologiquement, « tradition » signifie « transmission ».

type d'affections; les autistes, en effet, utilisent souvent entre eux des codes de communication impénétrables pour toute personne extérieure. Inconsciemment, ils cherchent peut-être à remonter aux origines de la communication. Pourquoi ne pas les aider dans cette régression pour reconstruire avec eux, grâce au souffle, au son et à la vibration, une sociabilité vraiment désirée?

En tout cas, le travail sur le son et la vibration peut rétablir la communication entre membres d'une même famille en conflit latent. Enfants et parents qui effectuent, sans mot dire, et en présence les uns des autres, une même démarche vocale au travers de cette méthode, arrivent à restaurer l'harmonie familiale sans devoir passer par des explications pénibles : brusquement, ils se remettent à vibrer de concert et à neutraliser les tensions mentales apparues dans le discours – sources et moteurs des conflits. La demande de thérapies familiales devient tellement importante que l'organisation de stages spécifiques s'impose d'elle-même. Cette méthode de travail vocal propose vraiment ce qu'on appelle « un terrain d'entente » à toutes celles et à tous ceux qui ont perdu le contact humain.

Intériorisation des sens et du sens

Ce travail invite l'élève au voyage intérieur : qu'il se visite au-dedans et, par rétrospection, il trouvera sa voix, sa voie. Un tel cheminement, parallèle sur le plan physiologique à celui de la psychanalyse sur d'autres plans, finit par modifier la personnalité. La sérénité et la profondeur du souffle, qui s'acquièrent peu à peu, modifient les émissions sonores et psychiques de l'individu. Il projette d'autres ondes et est capté par d'autres récepteurs, si bien que tout son environnement s'en trouve bouleversé : des amis s'en vont, d'autres arrivent; la vie professionnelle est remise en question, chaque fois qu'elle ne répond plus aux véritables aspirations de l'être; la vie familiale et affective subit parfois, pour les mêmes raisons, des révisions qui peuvent paraître momentanément déchirantes, mais qui se révèlent, à terme, très bénéfiques.

Les choses changent autour de l'élève; elles changent aussi en lui-même, dans ses perceptions les plus intimes. Informé jusque-là par des sens intellectualisés, il goûte, sent, voit, entend et touche comme le ferait un jeune enfant ou un animal, car le reptile coexiste à nouveau en lui avec le mammifère et le bipède intelligent. Les trois cerveaux tendent à se réharmoniser. L'hominien fait la paix avec ses frères inférieurs. Dürckheim disait un jour, à quelqu'un qui se plaignait de n'avoir plus le temps de lire (citation de mémoire) :

> « Fermez vite cette bibliothèque à clé. Jetez la clé, et allez vous rouler tout nu dans les feuilles mortes, ou alors, apprenez à regarder une rose. »

Au fur et à mesure que progresse le travail sur le souffle et le son, on n'entend plus de la même façon qu'auparavant. La relation entre oreille gauche et oreille droite change, de même que se modifie la dépendance de la vue par rapport au regard. Des qualités inconnues de goût et d'odorat se manifestent. Le corps s'éveille en même temps que la voix se révèle, et c'est bien naturel : celui qui souhaite chanter aspire, en réalité, à réintégrer son corps, comme on réintègre avec plaisir son domicile après une longue absence. Voilà pourquoi l'apprenti chanteur, qui arrive au cours « ni nu, ni vêtu [1] » et s'en remet

1. Vieille formule initiatique.

au formateur avec une entière confiance, ressent, dès les premières séances, un bonheur si intense. Je me suis longtemps demandé comment il acceptait, avec tant de bonne volonté, de pratiquer des exercices techniques aussi ardus, alors qu'il ne souhaitait nullement faire du chant sa profession. Sa disponibilité ne cessait de me surprendre, jusqu'au moment où je compris que, par le souffle et le son, il partait en quête de sensations intérieures qui bouleversaient sa représentation du temps et de l'espace.

Il faut savoir que le chant crée une séquence de temps immobile. Que le souffle mesure l'espace du dedans. Que la vibration tend la corde afin que l'arc humain trouve sa juste courbure. Que le son circonscrit le déploiement de l'être. Cette intériorisation des sens change toutes les dimensions. Petit à petit, l'élève apprend à ressentir sans comprendre. D'ailleurs, que vaut une compréhension strictement intellectuelle, c'est-à-dire privée de sensation brute et d'expérience intérieure?

Dès que le sens profond du travail sur la voix devint clair à mon entendement, je perçus mieux mon rôle de maître de chant vis-à-vis de l'élève en recherche de lui-même : je devais me montrer provocateur, pour l'inciter à mener sa propre expérience, et pour le conforter dans sa dynamique respiratoire et vocale. Au besoin, il m'appartenait aussi de le pousser à aller jusqu'au bout de lui-même, à ne pas s'arrêter à mi-chemin.

Mais le moment vient où l'aspirant chanteur, en plein éveil intérieur, acquiert progressivement une certaine autonomie par une reconnaissance de ses sensations nouvelles. Mon attitude consiste alors à le mettre face à ses responsabilités pour que, de lui-même, il oriente ses expérimentations et devienne ainsi, un jour ou l'autre, son propre chercheur et son propre maître. Dès ce moment, ma relation avec lui change du tout au tout; l'urgence des premiers temps a disparu. Le chanteur, remis à l'endroit, sait maintenant que l'attend un travail de toute une vie, axé sur une sorte de yoga du son. Au cours de l'échange que j'ai avec lui, il me confie ses expériences, je lui fais part des miennes. Il me reste à vérifier occasionnellement si la plante pousse bien.

Engagé sur la voie de sa propre réalisation opérative, le néophyte éprouve souvent le besoin de se relier à une tradition spéculative qui réponde, si ce n'est déjà fait, à son aspiration spirituelle. Ce travail, en effet, devient initiatique à un moment très précis, lorsque l'élève a dénoué, pour l'essentiel, ses tensions physiologiques et psychologiques. L'éveil intérieur ouvre alors la voie aux grandes questions d'ordre universel. Tout se passe comme si le chanteur, dégagé de ses tensions et de son ego, pouvait enfin sortir de lui-même pour entrer dans la vie spirituelle. Poursuivant seul sa recherche personnelle d'épanouissement corporel et mental, il en vient souvent à envisager des problèmes de type métaphysique et cosmogonique. Cependant, sans appui extérieur, sa démarche risque d'être freinée et il a, en général, intérêt à s'orienter vers une (ou des) tradition(s) authentique(s) en se méfiant comme de la peste des charlatans de l'ésotérisme qui exploitent la crédulité publique.

Quelle que soit la voie choisie, religieuse, philosophique ou initiatique, elle ne peut logiquement s'ordonner qu'autour d'un seul mythe fondateur : la reconstruction du Temple. La pratique de la voix/voie intérieure fait, en effet, prendre conscience à l'élève que, construit à l'image du Temple de l'Univers, il est un accumulateur d'énergie comparable à une cathédrale.

Comme elle, il s'édifie solidement sur une fondation tellurique, lance sa flèche vers le ciel et élève son bâti en obéissant à une numérique sacrée, complètement inscrite dans son corps. Je me suis rendu compte après coup, expérience faite, que ces conceptions considérées comme

« ésotériques » sont comparables à celles qui prévalent en médecine traditionnelle chinoise et dans les diverses pratiques que le Zen propose à ses disciples. Ce sont certains de mes élèves eux-mêmes qui ont attiré mon attention sur ces convergences.

Découverte d'un art de vivre et d'une sérénité, la méthode d'analyse, de construction et d'harmonisation par la voix invite l'élève à se juger et à se connaître intérieurement dans sa façon d'utiliser sa force, soit qu'il la retourne contre lui, soit qu'il la rende positive et rayonnante. Le travail privilégie une découverte du potentiel corporel et musculaire et dénonce les tensions et les artifices qui ont pu en détourner la réalisation. Il pourrait compléter la méthode psychanalytique, en y ajoutant les dimensions physiologique et spirituelle. L'élève se découvre devant son miroir. Il perçoit dans son corps, et parfois douloureusement, tous les mécanismes de détournement, de contournement, d'empêchement que lui ont imposés son anxiété, son volontarisme, la fabrication de son personnage. Il les démonte pièce par pièce, les nettoie, les répare et les remonte selon un autre schéma. Désormais, il apprend à se voir tel qu'il est. S'il ne sort pas de cette expérience en se connaissant, c'est qu'il n'était vraiment pas fait pour se connaître.

Voilà l'objectif : apprendre à se connaître et non fabriquer des machines à chanter, ni sortir en série des chanteurs qui utiliseraient faussement leur voix et resteraient sous la dépendance de leur professeur. Le but est, au contraire, de contribuer à rendre l'élève majeur, mûr, harmonisé, maître de ce qu'il fait et, donc, de ce qu'il est. S'il refuse cette conception, s'il attend de l'autre monts et merveilles sans donner le fond de son être, alors il faut le décourager de poursuivre une telle démarche.

Mais s'il accepte le cheminement qui lui est proposé en y investissant toutes ses énergies, il peut espérer récolter ce qu'il aura lui-même semé sur ses trois terrains. D'abord, il éprouvera à quel point son émotivité a été dérivée de son cours normal, fabriquée, falsifiée et, en cet état, exacerbée. Ensuite, il percevra cette force intérieure du hara et s'ouvrira à d'autres dimensions de son être, plus subtiles, qui se révèlent à coup sûr après libération de l'affectivité et fécondation du hara. Il accédera alors à une sorte de maîtrise du mental par le hara et du hara par le mental.

En d'autres termes, il pourra vivre sereinement des émotions vraies, c'est-à-dire objectivement proportionnées à l'intensité et à la qualité des événements qui les auront engendrées.

Lorsque cette égalité d'esprit s'installe en lui, l'élève abandonne ses anciens schémas de comportement et adopte un art de vivre dont les maîtres mots sont sans doute *confiance* et *sérénité*. Le contact avec lui est plus vrai : il sait dire *non* quand il faut, et *oui* de même. Il ne se laisse plus prendre au piège de *ne pas oser*. Il arrive à *être* de plus en plus et de mieux en mieux, tout en gommant le *paraître*. On le sent à l'aise, bien dans sa peau, non pas amorphe ou sclérosé, mais mobile, éveillé. Pour en arriver là, des épreuves, parfois douloureuses, ont dû être surmontées. C'est le prix à payer. On ne dépouille pas le vieil homme si facilement, aussi certains renoncent-ils. Ils sont peu nombreux.

Un être harmonieux vit en accord avec son environnement. Il ne cherche plus à forcer le destin. Plutôt que d'être mangé par la vie, il la mange à belles dents et laisse les choses arriver comme elles doivent arriver, et quand elles le doivent. Il ne se laisse plus envahir et cède de moins en moins à la tentation de l'activisme, car il ne se disperse pas. Il se concentre. S'il me permet de faire état, à titre d'exemple, de ma propre expérience, le lecteur constatera que, dans l'existence quotidienne, le principe de non-agir produit de surprenants résultats. Qu'il en juge.

Celui qui, il y a une dizaine d'années, aurait prédit la tournure actuelle que prend ma vie, n'aurait récolté de ma part que des quolibets. Je n'aurais jamais cru que de tels développements fussent possibles au départ de simples cours de chant que le « hasard » m'avait amené à donner. Pourtant, Dieu sait qu'à l'époque, je voulais réussir. Justement, je *voulais*. Quand je faisais du théâtre lyrique, je passais ma vie à tenter d'ouvrir des portes qu'on me claquait au nez. Dès que, à mon corps défendant, je compris la nécessité de renoncer à ces attitudes volontaristes pour devenir *neutre* en réalisant un travail sur moi, les portes ont commencé à s'ouvrir... toutes seules.

Au moment où je commençai à enseigner, je m'aperçus qu'il m'était impossible de guider l'émission d'un son autrement que par la compréhension des mécanismes intérieurs qui la régissaient. J'accordai spontanément la priorité à l'écoute intérieure, devenue avec le temps vision intérieure, et ce parti pris me conduisit de découverte en découverte, enclenchant toute une série de chocs en retour que je n'avais ni prévus, ni voulus. Mais, dès que je résolus d'attirer à tout prix l'attention sur mon travail, je bloquai la situation par les excès de ma volonté.

Je décidai alors d'investir, pour le plaisir, dans l'aménagement d'une salle d'exposition ouverte aux peintres et aux sculpteurs. J'organisai des expositions durant deux ans, pour me distraire de cette obsession d'être reconnu. J'ai bien vite dû renoncer à ces activités. Mon travail a brusquement suscité l'intérêt, provoqué toutes sortes de développements. Cette expansion s'est produite à mon insu et, pour l'essentiel, elle s'organise d'elle-même. J'en arrive à programmer mon emploi du temps en fonction des nécessités que me dicte l'événement.

Il faut nettement distinguer l'« interventionnisme [1] » de l'intentionnalité. Je m'en tiens désormais à une ligne de conduite inflexible qui tient en une formule lapidaire : pas de publicité, mais sensibilisation à une démarche sur soi.

Ne donnons pas dans le piège de la quantité. Celui qui, dans la conduite de ses activités, quelle qu'en soit la nature, vise la qualité avant tout, voit un jour ses efforts reconnus. Le chemin est plus long mais, au terme de l'étape, un gîte plus sûr et plus chaleureux attend le voyageur. Dans mon cas, les relais se succèdent à un rythme soutenu, et je m'efforce au calme dans cette effervescence. Les événements viennent à moi. Il est inutile d'en précipiter le cours. Comme par hasard, ils surviennent toujours en même temps que s'opère en moi telle ou telle transformation physiologique. Le dehors est en résonance avec le dedans. Chaque fois que je franchis une porte intérieure et que j'entre dans une nouvelle pièce de mon habitat, je sens que la conjoncture s'emballe.

Si je me précipite alors, j'entrave l'évolution naturelle des faits, et une régression s'ensuivra. Inversement, si je veux nager à contre-courant, la houle m'emporte. Malheur à moi si je me laisse reprendre au jeu d'un paraître toujours tentant. Il faut savoir lire les signes annonciateurs d'une décision à prendre, sinon vous n'embarquerez jamais; vous resterez en rade; les vents et les courants ne vous conduiront pas à bon port.

La foule des anonymes inquiets et harassés que je croise dans la rue, les élèves anxieux que je vois entrer pour la première fois dans ma salle, ne présentent pas la disponibilité ni la réceptivité suffisantes pour suivre une telle

---

1. Pourquoi ne pas appliquer ce terme utilisé en économie politique à la gestion de notre vie quotidienne, dans ce qu'elle peut avoir de plus « dirigiste »?

ligne de vie. Submergés par leur anxiété, ils transmettent leur malaise à l'entourage familial et professionnel. Leur voix, leur regard, leurs attitudes, les vibrations qu'ils émettent, suffisent à perturber l'atmosphère, même si leur discours tend, comme c'est souvent le cas, à donner le change. Par le travail physiologique que requiert cette méthode de yoga du son, ils s'apaisent progressivement, calment leurs interlocuteurs, reprennent confiance en eux et expérimentent un art de vivre qui irradie sur leurs proches par une forme de rayonnement immédiat que l'on pourrait nommer *animal,* et qui se passe allègrement de mots.

Le chien à qui je susurre que c'est une sale bête me lèche la main. Si je le traite de brave bête sur le ton de la menace, il me montre ses crocs. Si je lui fais face calmement, il rebrousse chemin. Si j'en ai peur, il me mord. Si je me balade près d'une ruche, ma peur d'être piqué accentue le risque que je le sois : les ondes et les odeurs de panique que j'émets dans l'atmosphère me désignent aux dards. Les animaux, à la différence des humains civilisés, connaissent ces codes et s'en servent continuellement.

Nous devons réapprendre à communiquer naturellement avec notre corps, avec nos semblables, avec toute forme de vie. En neutralisant peu à peu ses anxiétés, l'élève se remet à parler un très ancien idiome qui était devenu, pour lui, une langue morte. Dans cet antique jargon, certains vocables manquent, ainsi le verbe *avoir,* ou les adverbes *hier* et *demain.* Cet heureux locuteur se contente, en effet, d'essayer de vivre pleinement l'instant présent : c'est en cela que consiste son art de vivre.

IV.
La voix des autres

Mon histoire et la vôtre

Comme le lecteur a pu le constater, toute mon histoire est celle de quelqu'un qui eut envie de chanter en utilisant une voix dont il pressentait l'existence grâce à une intuition peu à peu étayée par des éléments moins subjectifs. Pour atteindre ce but, le voilà qui suit le cursus habituel des conservatoires. Mais il constate que les institutions amplifient inévitablement la déformation vocale de leurs étudiants. Il exerce néanmoins le métier de chanteur durant de longues années en utilisant cette voix faussée et, à travers diverses démarches analytiques, il prend bientôt conscience d'avoir suivi une « voix » sans issue. Il abandonne alors le spectacle et se consacre à l'enseignement du chant sans rien prévoir de ce qui va lui arriver. En dispensant ses cours, il remarque combien sa pédagogie diffère spontanément de celle qui se pratique d'habitude. Son réflexe premier et naturel ne consiste pas à vouloir fabriquer des sons; il tâche, au contraire, de comprendre pourquoi, techniquement et mécaniquement, les élèves émettent des sonorités dérangées, donc dérangeantes. Ce professeur cherche dès lors à démonter les processus de blocage qui embarrassent le mouvement naturel de flux vocal et de reflux respiratoire. Il est amené à s'intéresser plus aux cas problématiques qu'aux situations simples; pourquoi tel élève parle-t-il facilement, sans pouvoir chanter, alors que son condisciple fait parfaitement les deux?

Parallèlement à ce travail en milieu scolaire, il poursuivit sa recherche personnelle grâce à un maestro italien qui lui fait redécouvrir sa voix, celle dont il souhaitait se servir dès l'âge de dix-sept ans. L'envie lui vient alors de comprendre, pour lui-même et pour les autres, le rapport existant entre le souffle et le son. Pour ce faire, il élabore et utilise des techniques plus précises, moins anarchiques, que celles qui prévalent dans l'enseignement. En outre, il s'enrichit de toutes les expériences que les cas les plus difficiles lui permettent de vivre.

Survient alors la mort du maestro, de ce *deus ex machina* qui tenait et tirait les ficelles de la voix. Comme cette disparition entraîne l'écroulement d'un édifice laborieusement reconstruit, il est forcé de poursuivre seul la démarche analytique commencée en compagnie du maître – non pas uniquement dans le but de chanter, mais pour comprendre quels ressorts physiologiques, psychiques et spirituels le chant met en cause et en jeu par le biais du souffle, du son et de la vibration.

Notre homme se livre donc à une recherche intensive sur son propre corps, forgeant par lui-même et en lui-même toutes sortes d'outils qui serviront aussi à ses élèves. La motivation du chant passe de plus en plus à l'arrière-plan et, par des témoignages extérieurs, il apprend que sa méthode de travail se rapproche de démarches orientales telles que celle du Zen. Peu à peu, s'élabore une synergie entre le souffle et le son, fondée sur un travail de centrage et de « verticalisation » qui tend à reconstituer un instrument corporel progressivement faussé, dans l'histoire de l'individu, par des tensions d'origine mentale.

Comprenant alors qu'il cherche à rendre vie et stature, en lui et chez les autres, au « bébé qui aurait bien grandi », il prend conscience, finalement, du caractère initiatique de cette reconstruction du Temple au gré d'un voyage intérieur. La circulation du souffle, l'émission de la voix et l'irradiation de la vibration explorent et dénoncent les torsions du corps. La voix, en réinvestissant le corps de long en large, transforme l'instrument et lui rend une statique et une dynamique normales.

Telle est, en résumé, l'histoire de ma voix, qui est aussi, peu ou prou, l'histoire de la voix des autres, ainsi que le lecteur pourra le constater en prenant connaissance des cas ci-après.

Sisyphe à l'œuvre

Dès le début de mon expérience pédagogique, je fus surpris par l'attirance qu'éprouvaient mes élèves pour le travail technique que je leur proposais. Comme je l'ai dit plus haut, ils préféraient ces exercices apparemment rébarbatifs au fait de chanter des airs. Je compris par la suite que la fonction libératrice et rénovatrice de ces exercices à l'égard du corps pouvait expliquer un tel engouement. Le son est le langage du corps, et les messages qu'il délivre apparaissent plus véridiques que l'habituel bavardage du mental.

L'un de mes élèves, qui marche difficilement, me dit un jour, après quelques séances : « Faire un bilan, c'est peut-être un peu tôt, mais je sais que mon corps aime venir et qu'il ne craint pas de monter les deux étages. » Or, il faut l'avoir vu grimper en s'appuyant sur ses cannes pour imaginer combien cette ascension lui est pénible.

Le son est aussi le langage de la psyché. Les premiers

inspirs, les notes initiales, permettent déjà d'établir la fiche psychologique de chaque élève. Le premier cas qui m'ait frappé à cet égard fut celui d'une personne qui se destinait au spectacle et souhaitait prendre des cours de chant. Malheureusement, sa voix présentait un trou de plus d'une octave, situé au milieu de l'échelle, dans cette zone qui correspond à la voix parlée.

Nous avons donc travaillé durant deux ans à « joindre les deux bouts » par des exercices qui, continuellement, tentaient de préciser la brèche pour mieux la colmater par la force du grave et la direction du i. Il s'agit toujours d'une œuvre de longue haleine qui oblige à remettre en question de mauvaises habitudes pneumophoniques. Cette rééducation doit être vécue en toute conscience par le sujet car, selon moi, c'est la seule attitude profitable à long terme. Mais mon élève se laissa rééduquer passivement, sans jamais vouloir rien entendre de ses déséquilibres profonds. Le travail se fit, en quelque sorte, à son insu. La fin de notre démarche fut pourtant assez spectaculaire : il avait pratiquement recouvré un réflexe sain sur sa voix chantée. Mais, dans son inconscience délibérée, il en était resté à son réflexe initial sur la voix parlée. Résultat : utilisant sa voix en force dans la soirée, il se retrouvait aphone chaque matin et, tous les jours, en cinq minutes d'exercices chantés, je remettais la mécanique en place... Le maître de chant ressemble parfois au vieux Sisyphe, mais la pierre qu'il déplace sur une pente abrupte est une bulle d'air.

Une aphonie opiniâtre

Les déformations, dont la voix est symptomatique, qui affectent parfois le corps et tout l'être du chanteur, traduisent en lui les tribulations de l'énergie-son liée au k'i [1].

Le détournement dès l'enfance de cette énergie énorme peut provoquer des altérations physiologiques et vocales parfois dramatiques. Ainsi, je reçois un jour une dame qui m'est adressée par son médecin. Elle exerce un métier de voix et, depuis trois semaines, présente une aphonie complète. Elle m'explique son cas en murmurant. Pourtant, en l'observant pendant qu'elle « parle », je constate que sa voix n'est pas atteinte. Son aphonie résulte en fait d'une tension anxieuse qui bloque tout le haut du schéma corporel et obture le tube.

Avant de venir me voir, cette élève est passée, sans résultat, entre les mains d'un médecin et celles d'un orthophoniste; des médicaments lui ont été prescrits, dont de la cortisone. La thérapie reste sans effet apparent. Le test de lecture ne donne aucun son utilisable mais me permet d'observer un rachis dorsal très contracté. Avec mes *outils*, je tâche de libérer cette énergie bloquée en la faisant redescendre. Des inspirations nasales par saccades et l'émission de yé-yi-you-ya/o-é-i-ou-a-yé-yi-you-ya permettent d'user les tensions accumulées au niveau du dos et de les faire chuter le long de la colonne vertébrale. Suivent quelques exercices à genoux, en position un peu arquée. Après vingt à vingt-cinq minutes, alors que l'élève est agenouillée devant moi et me tourne le dos, elle pivote brusquement pour me parler : la voix revient. Dès lors, nous l'amplifions jusqu'à la fin de la séance. Un nouveau test de lecture révèle une voix superbe qui s'affermit de plus en plus.

---

1. Ce n'est sans doute pas un hasard si la brusque libération de cette énergie se nomme précisément *k'iaï* dans les arts martiaux. Il devrait s'agir de l'émission du son juste et parfait, qui fait suite à une longue phase de concentration méditative.

Ce cas intéressant à analyser montre que le blocage résulte souvent d'un mauvais comportement global, qui consiste en un emploi de l'énergie basé sur le « volontarisme », l'anxiété et le stress. Quand cette personne m'a quitté, elle avait l'impression que j'avais opéré une sorte de miracle. Je l'ai détrompée : le résultat obtenu était seulement dû, dans l'immédiat, à ma connaissance du métier et à une observation précise de la logique de sa statique corporelle. Mais pour obtenir une consolidation de sa voix, elle aurait à effectuer une démarche sur elle-même autrement fondamentale.

Cette élève a bien l'intention de poursuivre son travail sur le souffle et le son. Elle m'a même proposé d'y associer son enfant de treize ans, qui vit déjà les mêmes problèmes. Sans doute peut-on parler, à ce propos, d'un phénomène de contagion par mimétisme au sein d'une famille, ou même de l'origine héréditaire de certains blocages, obéissant à une « mécanique tensorielle » en tous points identique.

Voix et santé

Le « miracle » n'est pas toujours au rendez-vous. Je me souviens de cette personne qui présentait aux cordes vocales des polypes qu'il était nécessaire d'opérer [1], car ils rendaient le terrain dangereux. Dans son cas, le travail permit, avant l'intervention chirurgicale, d'assainir un comportement initial trop nerveux, trop volontaire, trop anxieux, et de normaliser sa voix en la débarrassant de presque toutes ses sonorités gênantes. Cette approche correctrice se justifiait autant pour accompagner la thérapie

1. Ce ne serait plus vrai pour des nodules.

que pour stabiliser l'attitude pneumophonique de cet élève qui, de surcroît, souhaitait chanter de manière quasi professionnelle.

Certains élèves ont, sans s'en rendre compte, grandement contribué à l'amélioration de mes modes opératoires et à l'approfondissement de ma démarche. Je me souviens par exemple d'une enseignante, au chômage depuis plusieurs mois pour avoir perdu sa voix presque totalement. Pour être clair, elle était incapable de porter la voix parlée à plus de deux mètres. Après avoir consulté de nombreux médecins, sans résultat probant, elle s'adressa à moi en désespoir de cause. Cette dame présentait le cas le plus grave de déchéance vocale qu'il m'ait été donné d'observer à ce jour. C'est sans nul doute elle qui m'a permis de vivre l'expérience la plus profonde.

Après un test de voix parlée révélant une émission ténue, le test de voix chantée ne me permit d'obtenir qu'un grognement informe, sans aucun rapport avec une note chantée. Naturellement, il est toujours possible d'améliorer le son par un travail sur la voix parlée, mais cette approche reste superficielle. Seule, une démarche approfondie sur la voix chantée peut garantir la reconstruction totale, solide et surtout durable d'un système vocal alimenté par une soufflerie saine.

Le travail avec cette maîtresse d'école consista d'abord à obtenir un son juste, puis à partir de cette note, en jouant, selon le cas, soit sur la force, soit sur la direction, pour finir par reconstituer, demi-ton par demi-ton, l'échelle vocale sur trois octaves, résultat qui fut obtenu après trois ans, au prix de séances très pénibles entrecoupées de pleurs et marquées de profonds désespoirs chez cette femme qu'il fallait constamment soutenir par une foi inébranlable.

Il est facile de comprendre qu'on ne peut connaître un

tel handicap vocal sans être passé par un état de grave délabrement physique et psychique. Mon élève avait, bien entendu, vécu ce drame, surtout à travers une homosexualité mal assumée. Il n'y eut jamais entre nous de communication verbale à ce propos. Seuls, les sons émis faisaient sentir et comprendre mieux qu'aucun mot la détresse qui était la sienne. Après deux années, elle put reprendre son métier. Je ne désespère pas de l'entendre chanter, à l'occasion, quelques airs d'opéra.

Cette expérience m'a fait comprendre que la reconstruction progressive d'une voix passe souvent par des crises d'ordre psychologique manifestées notamment sous des formes régressives et, plus particulièrement, dans le cas qui nous occupe, par des vagissements d'enfant qui naît, que l'élève émettait de façon tout à fait impulsive et incontrôlable. Comme je vécus ensuite, avec d'autres personnes, des séances du même ordre et que j'en sortais à la fois ému et profondément troublé, je consultai à ce sujet un ami neuropsychiatre. Intéressé par ma méthode, il m'invita à organiser ce genre de travail à Bruxelles. Il se proposait de mettre à ma disposition un local avec piano; une clientèle fut vite sensibilisée à cette approche du corps et de la psyché par le souffle et le son.

A mon insu, cette méthode d'analyse, de construction et d'harmonisation par la voix prit, à ce moment-là, une nouvelle tournure. Elle naquit vraiment de cette collaboration.

D'autres cas marquants que j'eus à traiter concernaient des paralysies faciales et des problèmes psychomoteurs. Le premier fut celui d'une personne condamnée par la médecine à conserver pour la vie un rictus qui lui déformait le visage. Grâce au travail sur la voix chantée, qui lui permit l'acquisition d'une bonne maîtrise respiratoire, d'une direction vocale rectifiée et d'un calme intérieur amplifié, sa mâchoire reprit une position plus normale; selon un neurologue, un tel résultat ne pouvait être obtenu que grâce à des drogues, et pour un temps très limité.

Le second cas fut celui d'une jeune fille atteinte, depuis sa naissance, de crises de paralysie; au fil des séances, elle se redressa et adopta une autre attitude; son élocution, à peine audible, à peine compréhensible surtout, évolua spectaculairement grâce au travail sur des chants populaires effectué dans diverses postures.

Peu à peu, la voix acquit un débit moins anarchique et la respiration abdominale se normalisa. Quand elle chantait, son texte était très clair, très intelligible; par la suite, le même texte, parlé et fondé sur le même appui respiratoire, conservait les mêmes qualités. En outre, une amélioration fut enregistrée dans le comportement quotidien de l'adolescente; les crises s'espacèrent et finirent par disparaître.

Ce dernier exemple est très démonstratif du type de redressement global de la personnalité que le travail sur le souffle et le son permet d'accomplir. A la fois diagnostic et traitement, l'émission de la voix témoigne des qualités de l'organe émetteur, c'est-à-dire du corps tout entier. Voix chantée et voix parlée incluent inévitablement dans leur production un apport émotionnel et intellectuel. Aucune fonction de l'être n'est mise hors circuit, ni aucune partie du corps, ni aucune partie du cerveau.

Libérations

Il arrive que la voix porte la trace précise d'un passé traumatique remontant à l'enfance. Ainsi, pour cette dame, chercheuse de haut niveau, née dans le contexte dramatique de la dernière guerre. Personnalité très brillante, d'une grande force, elle dispersait une partie importante de son énergie dans un comportement anxieux. Les premiers exercices vocaux que je lui proposai ne me permirent de tirer d'elle que des cris, presque des hurlements. Sur cette base pneumophonique très perturbée, j'entrepris une démarche au long cours, poursuivant les objectifs suivants : usure des tensions anxieuses, retour des pieds sur terre (à tous les sens de cette expression significative!), réharmonisation de la voix.

Actuellement, cette élève a récupéré la capacité de chanter. Dès sa première séance de chant, elle a choisi, comme par hasard, des chansons d'enfant qu'elle a interprétées d'une petite voix puérile. Or, son vrai registre est wagnérien. Tout son drame provient de ce qu'elle a censuré ce type de musique romantique et post-romantique dont le message s'assimile, à ses yeux et à ses oreilles, à des images anciennes et à des fureurs refoulées évoquant le contexte du nazisme. Elle ne trouvera son équilibre complet et définitif que lorsqu'elle se sera reconnue dans cette musique que son corps attend. Très bientôt, elle signera un traité de paix à usage interne mettant fin, *de facto*, à la Seconde Guerre mondiale.

Donner sa voix, c'est, symboliquement, se donner tout entier aux autres. Un artiste qui se réfugierait constamment dans son atelier, dans sa solitude, sans pouvoir montrer sa production, priverait, par cette attitude, son activité quotidienne de tout sens, car l'essence de l'art réside dans la communication. J'ai rencontré un tel cas : celui d'une personnalité dont l'énergie restait bloquée par une force énorme stagnant dans la zone supérieure du corps. Peu à peu, ces résistances ont cédé. L'élève a accepté d'exprimer son souffle, d'accorder sa voix. Maintenant, il expose ses œuvres.

L'examen de ce cas me donne l'occasion d'affirmer la haute valeur des arts plastiques quand ils s'inspirent de l'harmonie universelle. Fortement imprégné d'une symbolique traditionnelle qu'il tente de restituer dans son travail d'architecte, l'un de mes élèves poursuit, depuis qu'il s'est adonné au travail vocal, un cheminement intérieur de type compagnonnique. Son évolution démontre bien que l'on ne peut s'extérioriser par la pratique d'un art qu'après en avoir intériorisé les techniques et les modalités expressives.

Beaucoup d'êtres vivent emprisonnés dans une geôle dont ils ont eux-mêmes édifié les murailles, grillagé les fenêtres et cadenassé presque toutes les issues. Pour eux, la libération du souffle et du son équivaut à une sorte de levée d'écrou. La toxicomanie est une prison de ce type. Je me souviens de deux personnes qui, tombées dans la dépendance et dans une forme d'exclusion sociale, ont entamé un travail sur la voix avec le ferme espoir de s'en sortir.

Après quelque temps, l'une a repris des études et, par ce biais, s'est réadaptée à la vie en société. Elle paraît avoir repris pied dans sa vie en retrouvant sa voix. L'autre s'est complètement restructurée sur le plan physique et psychologique; devenue plus créative, plus logique et plus harmonisée dans l'exercice de son métier, elle s'est progressivement épanouie par une relation plus vraie avec les autres. Actuellement, elle a renoncé à sa vie « carcérale » et continue à liquider ses tensions pour reconstruire une base de sustentation solide avec prise au sol efficace.

Se porter soi-même

Je m'occupe d'un grand adolescent qui présente, depuis sa naissance, des crises de paralysie et d'épilepsie rebelles à tout traitement. Il a commencé sa démarche respiratoire et vocale en ma compagnie, sur les injonctions de son médecin et après m'avoir été présenté par ses parents.

Dès la première séance, je constatai que le travail, particulièrement ardu, devrait s'effectuer sur un terrain miné : l'énergie errait en zigzag le long d'une colonne incohérente, dans un corps privé de verticalité qui produisait une sonorité informe, dont le rapport force-direction était absent. Je m'escrimai d'abord à obtenir quelques sons exploitables car, si je n'en ai pas, je reste impuissant. Les ayant trouvés, j'appliquai les principes habituels de ma méthode : dans un premier temps, concentrer la force dans les notes les plus basses de la voix, qui vibrent au bas de la colonne; puis atteindre les notes les plus hautes en conservant le même appui vocal; enfin, étirer la colonne par ces allers-retours répétés et rétablir progressivement la verticalité de l'élève.

L'adolescent s'est déployé petit à petit; il s'est éveillé et a exercé sa curiosité sur son entourage, alors qu'il était resté jusque-là muré en lui-même, sans véritable échange verbal avec ses proches. Il a gagné en autonomie et en audibilité. Visiblement, ce travail pneumophonique est le seul qui l'ait intéressé. Il aime s'exercer au chant. Jamais, cette discipline vocale ne lui est apparue pesante et n'a été ressentie comme une obligation; son corps aime ce qu'il fait pendant les séances, il apprécie cette gymnastique intérieure qui le rend heureux en le faisant vibrer.

L'évolution psychique du cas mérite une description précise. Elle s'est produite à la suite d'une séance qui, avec le recul, me paraît maintenant déterminante. Qu'on en juge. Mon élève arriva chez moi en pleine crise. Ses accompagnants durent le hisser jusqu'à mon studio, situé au second étage. Dès qu'il fut introduit dans la salle, je lui dis que je ne pourrais rien faire d'autre que de l'obliger à travailler debout. Pour le rassurer, je plaçai devant lui une chaise au dossier de laquelle il lui serait loisible de s'agripper en cas de perte d'équilibre. Pendant le travail, la prise au sol commença à se rétablir. Je l'invitai alors à lâcher son appui, ce qu'il réalisa en se tenant bien droit.

J'interrompis alors le cours normal de la séance pour dialoguer avec mon élève. Je lui fis comprendre que je n'étais pas dupe, et que je le savais capable de maîtriser ses crises. Ses crises, il les provoquait inconsciemment, par une sorte de jeu impitoyable, pour attirer l'attention sur lui.

« Quand la séance sera terminée, lui dis-je, tu me feras le plaisir de descendre l'escalier seul, comme un grand, d'aller à la voiture où l'on t'attend et d'y monter sans aide. » C'est ce qu'il fit. Au moment de quitter le studio, je le précédai dans l'escalier, pour le préserver d'une chute éventuelle. Il me suivit avec assurance, quitta la maison seul et s'installa dans l'auto, à la stupéfaction de ses occupants.

Après cette performance, je me demandai si je le reverrais jamais. Je l'avais, en effet, percé à jour et je devenais *ipso facto* un homme dangereux. Mon élève traversa effectivement une période de flottement, puis il reprit le collier. Il effectue à présent des progrès constants. Son corps repose mieux sur ses jambes, avec plus de confiance. Il a retrouvé une véritable verticalité, qui demande encore à s'affirmer. L'ouverture et l'éveil se sont créés en lui. Jusqu'où le mènera cette transformation? Je ne saurais le dire au juste, mais j'espère qu'il deviendra autonome et libre, c'est-à-dire capable de poser des choix raisonnés. Celui qui a appris à se *porter* lui-même, à se porter vraiment, peut aussi *porter* des jugements sains sur toute chose qui le concerne.

Allô, madame

Certains hommes sont appelés *madame* au téléphone, au grand embarras de leurs interlocuteurs, et à leur propre confusion. Plusieurs personnes m'ont consulté pour cette raison, et je me suis attelé à la correction de ce qu'elles ressentent volontiers comme une infirmité. Je puis citer deux cas pour illustrer ces processus de « virilisation » vocale.

Chez l'un, le problème était d'ordre psychique. En trois séances, la voix était devenue plus mâle. Mais un travail en profondeur s'imposait manifestement chez cet élève qui, sur le plan énergétique sonore, s'était évadé de son corps. Les exercices devaient le faire rentrer dans son logis physiologique, en gonflant d'harmoniques graves le bas du corps. Durant un stage en dynamique de groupe auquel il participait, il assimila remarquablement les principes de la méthode, se plaçant de lui-même dans un tel déséquilibre qu'il se faisait tomber. Il changeait de centre de gravité en quelques instants, oscillait comme un pendule, et je dus disposer deux élèves autour de lui pour empêcher les chutes. Il était tellement acharné à *entrer en lui* qu'il déplaçait son centre de gravité sans se soucier de son aplomb... alors, les autres élèves le retenaient.

Son comportement s'est irréversiblement modifié. Lui qui aimait briller par une attitude extérieure entièrement composée, effectue maintenant une introspection approfondie dont son intellect analyse bien les étapes, et que son corps comprend et intègre de mieux en mieux.

Un autre cas du même type avait développé un blocage physiologique important, qui fut dénoué par l'adoption de certaines attitudes et grâce à l'inspir nasal. Ces positions corporelles sont choisies en fonction de leur propension à dissoudre les tensions que les inspirations précipitent ensuite au sol. Dès que les contractions se relâchent, le sujet est agité de tremblements incontrôlables et pénibles qui parcourent le corps avant de retourner à la terre.

La recherche des bases

Les voix de ténor sont parfois spécialement perturbantes. Ainsi, je fis travailler un chanteur dont les sons restaient bloqués dans les harmoniques aiguës. Il se servait de ces notes stridentes de manière impulsive et, de ce fait, retournait contre lui une partie de son énergie. Aucune force venue du hara ne pouvait être mise en évidence chez ce ténor hyperaigu dont la physiologie avait subi l'influence du dysfonctionnement pneumophonique : rachis dorsal arrondi, enraidissement du cou, crispation de la mâchoire – symboliquement masquée par une barbe, comme c'est souvent le cas. Par des exercices adéquats, nous sommes arrivés à dégager les tensions dorsales puis à apaiser tout le haut du corps. Comme, parallèlement, le ventre retrouvait tonicité et rondeur, les sonorités graves se sont rétablies, contribuant à l'étirement et au redressement de la colonne dorsale, à l'ouverture de la voix et à l'épanouissement général de l'être dans sa vie quotidienne.

Le ténor qui part à la recherche de ses basses, c'est-à-dire de ses bases et qui, sur ces fondations, reconstruit peu à peu sa voix pour trouver de nouvelles sonorités aiguës, peut évoluer vers une grande sagesse. Mozart l'a bien compris; le ténor Tamino est confronté à deux principes : l'un, incarné par le personnage hystérique qu'est la Reine de la Nuit; l'autre, par Zarastro, le Grand Sage.

Tamino, finalement, s'identifie à ce dernier et le remplace.

Une voix révélatrice

Je fus un jour contacté par un « homme d'affaires » qui souhaitait me rencontrer avant d'entamer un éventuel travail vocal. Au cours de l'entrevue, il marqua son accord. Après quelques séances, je lui décrivis sa personnalité. Il en fut stupéfait; il venait en effet d'effectuer un stage de survie de quelques jours au terme duquel le moniteur lui avait fait les mêmes remarques que moi. En bref, il apparaissait clairement que sa vie professionnelle, imcompatible avec sa personnalité profonde, devait changer du tout au tout.

Après un certain temps, au fil de sa transformation, il décida d'assumer la direction d'une usine importante, activité qui, lui dis-je, serait, à mon avis, encore transitoire. Effectivement, un an plus tard, il fut engagé par une multinationale. A travers l'analyse de la voix qu'il produisait alors, je ne le sentais pas bien dans ses nouvelles fonctions. Maintenant, il semble avoir abouti. Il monte ses propres affaires. Après avoir négocié un virage difficile, il a pris la bonne route, celle qui le mènera, selon toutes probabilités, à *sa* destination.

Quel était son problème? A l'instar d'un grand nombre d'élèves au début de leur démarche, il ressentait sa voix comme désagréable. C'est dans l'espoir de la modifier qu'il était venu me voir. Très vite, ces élèves comprennent que le travail à effectuer n'est pas seulement d'ordre vocal. Cette voix qui les met mal à l'aise reflète, en réalité, une personnalité fausse. Ne pas en supporter les sonorités signifie qu'ils n'acceptent pas l'image d'eux-mêmes qu'ils montrent aux autres. Le travail sur le souffle et le son leur apparaît alors comme un outil de révélation et de transformation. Ils finissent par ne plus guère s'intéresser à leur voix en tant que telle, car c'est la recherche de leur être profond qui les motive. Ils se livrent à cette quête avec tout leur courage. Il en faut beaucoup.

Au nom du sport

Le cas d'un ingénieur m'a permis de constater les ravages causés par un entraînement sportif mal conçu et mal vécu. Formé à la compétition (sous toutes ses formes...), cet homme était bâti à coups de serpe, comme un militaire de carrière, tout en raideur dorsale et en contractions dans le haut du corps. La musculature dorsale avait été exhaussée dans un excès de « volontarisme » qui déséquilibrait le schéma corporel.

Il commença, au fil des séances, à se dépouiller de ce personnage hypertonique; les exercices respiratoires et vocaux, accompagnés de postures adéquates, l'aidèrent à effacer de sa mémoire musculaire les tensions qui s'y étaient enregistrées; parallèlement, s'y inscrivaient des modes de fonctionnement plus naturels, plus sereins.

Beaucoup de sportifs de compétition sont aujourd'hui sacrifiés sur l'autel du profit musculaire à court terme. Le culte des records et des résultats, sanctifié par un rendement médiatique et financier immédiat, autorise des pratiques dangereuses de tous ordres : intensité des entraînements, développement systématique de l'agressivité, utilisation de produits dopants, exploitation méthodique des rivalités entre équipiers désireux de recevoir la consécration suprême d'une sélection. Essayer de battre son propre record ou de remporter la victoire à tout prix peut mener l'athlète jusqu'à la tétanisation des muscles, l'épuisement, l'altération de la conscience, et même à des conduites violentes ou suicidaires qui retentissent sur le comportement du public. L'esprit initial du sport a été perverti, jusques et y compris en milieu olympique.

Les athlètes de haut niveau ne sont plus formés selon un modèle de maîtrise de soi et de concentration, d'après ce cliché de force tranquille et de dépouillement qui fait appel à l'énergie du k'i, comme dans les arts martiaux compris et pratiqués dans une perspective vraiment traditionnelle. Si la philosophie de l'éducation physique des jeunes s'inspirait de ces anciennes valeurs, le sport redeviendrait ce qu'il n'aurait jamais dû cesser d'être : une discipline de reconstruction individuelle alliée à un art du dépassement de soi.

Voix sans issue

Une voix mal employée peut provoquer des situations dramatiques, comme celle qu'a vécue un moine belge qui vint me consulter pour des problèmes d'aphonie résistant à tout traitement médical. Cet homme, bâti en athlète, était pourtant fait pour la voix, véhicule de rayonnement et de communication par excellence. Hélas, cette faculté d'irradiation par l'amour et la générosité avait été brisée très tôt en lui, dès l'enfance probablement. A son entrée dans les ordres, le traumatisme initial s'était aggravé sous l'effet d'une pratique erronée du grégorien – dénoncée dans le chapitre précédent. La voix de mon élève, une grande voix, détonnait dans un tel contexte et elle ne pouvait que s'y étouffer d'elle-même.

Le prêtre usa et abusa de cette voix faussée qui, n'étant plus soutenue par la force du grave, lui fit subitement défaut après une période d'insomnie de deux ans. Il connut alors une déchéance vocale et psychique très dure qui l'obligea à passer d'un médecin à l'autre, d'une thérapie à l'autre, sans aucun succès, même relatif.

Il faut dire que le monde médical ne maîtrise guère ce genre de dysphonie. Mon élève dut subir une intervention chirurgicale inopportune : une ablation partielle de la thyroïde fut pratiquée, après quoi les « spécialistes » avouèrent leur impuissance. Ils lui conseillèrent de se reconvertir dans des occupations plus littéraires et plus spéculatives. Un éminent professeur lui concéda même qu'il ne comprenait rien à son cas et, qu'au stade actuel des connaissances (de ses connaissances), aucune thérapie ne résoudrait le problème, à moins peut-être de trouver un logopède exceptionnel – « mais cela n'existe pas... » Si ce thérapeute avait été au fait d'une vision plus globale du rapport souffle-son, il aurait compris que son patient présentait en réalité un problème global d'équilibre comportemental; qu'il était indiqué, dans son cas, de réharmoniser l'instrument corporel; qu'il suffisait de libérer, par des techniques appropriées, cette énergie amassée en *col roulé* au cinquième chakra; qu'un tel blocage énergétique à cet endroit pouvait se révéler très perturbant pour mon élève et même, à la longue, mortifère.

Après deux ou trois séances, le Père redisait la messe et recommençait à prêcher. Après dix séances, ces mêmes spécialistes qui l'avaient traité ne reconnaissaient plus son cas : la voix s'était assainie.

Nettoyer le terrain

Sans être négative, la pratique du yoga, du tai-chi et du tchi-kong ou du Zen peut se révéler inopérante, si elle s'effectue sur un terrain inculte, qui n'aurait pas été amendé au préalable. J'eus l'occasion de faire chanter un garçon plein de bonne volonté, bourré de force mais dont la ceinture scapulaire était placée sous haute tension. Malgré les séances de yoga auxquelles il s'adonnait avec ferveur, rien ne changeait, ni en lui, ni autour de lui. Seul, un travail acharné sur le souffle et sur le son lui permit peu à peu de venir à bout des tensions énormes qui avaient tassé son corps et son psychisme sous le joug des épaules. J'avais dû résoudre, en son temps, un problème comparable au sien; j'étais doté d'un physique de *petit gros* qui devait s'élancer après avoir fait céder le barrage du cinquième chakra. Tout le yoga et le Zen n'auraient pu me libérer de tensions trop profondément gravées dans ma nature individuelle.

Pour atteindre ce résultat, il est indispensable, à mon sens, de recourir à des méthodes plus dynamiques qui usent ces énergies périphériques et les concentrent correctement. Alors seulement, les disciplines orientales deviennent efficaces. Comment penser son corps et y susciter un éveil intérieur digne de ce nom, s'il est sclérosé par des indurations musculaires et psychiques?

Mon élève s'est débarrassé de ce corset étouffant. Aussitôt, les premiers signes d'évolution n'ont pas tardé à se manifester, dans sa vie professionnelle et familiale, car un être qui trouve sa vérité en lui la communique à son entourage.

Vouloir chanter des airs, jouer des rôles...

La langue française distingue justement *bonne volonté* et *mauvais vouloir.* La bonne volonté va de pair avec l'ouverture d'esprit. L'individu qui en fait preuve est, dit-on, *bien disposé,* dans une attitude physique et mentale d'accueil, de détente. Le mauvais vouloir se traduit, à l'inverse, par des comportements exclusifs. Trop crispé sur la protection de ses acquis ou sur la conquête de nouveaux domaines, le personnage développe des conduites hyperspécialisées : après avoir sélectionné ses objectifs, il élimine toute activité subsidiaire, ou considérée comme telle. Ce faisant, il freine son évolution sans s'en rendre compte.

C'était le cas d'une de mes élèves, au physique de chanteuse wagnérienne. Inscrite à un stage pour travailler sa voix dans une perspective professionnelle, elle dégageait une force herculéenne, mais se laissa prendre au piège de *vouloir* chanter, de présenter des examens dans un milieu scolaire où les notions de compétition, de critères et de sélection tiennent lieu d'objectifs pédagogiques. A force de vouloir chanter, elle ne le pouvait plus. Dès qu'elle comprit son erreur, elle progressa avec une rapidité surprenante. Libérée de la hantise de *devoir* chanter pour passer les épreuves, elle a retrouvé sa voix et son plaisir.

J'évoquerai aussi le cas d'une élève que je vais, exceptionnellement, appeler par son prénom : Claire. Le lecteur va comprendre pourquoi. Claire, une jeune femme de vingt ans, s'inscrivit à mon cours pour compléter sa formation de comédienne. Elle avait eu, pensait-elle, la *chance* de pouvoir sortir d'une école qui a la réputation de former les grands comédiens français.

Après l'obtention de son diplôme, et dans l'attente des premiers contrats, elle se présenta dans ma classe, animée de ce désir de chanter qui dissimule souvent des motivations d'une nature bien plus profonde.

Très vite, dès les premiers cours, elle comprit que le travail sur la voix exigeait une remise en question complète de sa personnalité et de sa *vocation.* Pour s'y consacrer, elle décida d'abandonner l'exercice du métier auquel elle se destinait, ou plutôt elle se refusa à l'entreprendre dans la perspective qui lui avait été tracée. En effet, son apprentissage de comédienne n'avait pas été basé sur la connaissance et la maîtrise de soi, mais sur une honteuse exploitation des névroses.

Claire est devenue mon épouse et la mère de mon fils. Elle poursuit sa démarche vocale, me seconde et forme elle-même ses propres élèves en utilisant ma méthode.

Il est pourtant difficile d'effectuer avec son conjoint ce type de travail, si exigeant sur le plan physiologique, émotionnel et énergétique. Pour éviter les tête-à-tête générateurs de tensions inutiles, je préfère superviser son évolution vocale dans le cadre apaisant d'une classe. Les cours collectifs apportent une forme de neutralité nécessaire à une relation pédagogique dépassionnée.

Au travers de sa formation, celle qu'elle reçoit et celle qu'elle prodigue, Claire reconsidère les conditions dans lesquelles s'effectuent l'éducation et les prestations des comédiens. Nul doute que l'avenir lui permettra de proposer à des jeunes enthousiasmés par l'art du théâtre la possibilité de se former sur des bases saines.

Pour le plaisir

Un cas particulièrement attachant est celui de cet homme d'une soixantaine d'années qui devint mon élève uniquement par goût pour le chant. Doté d'une voix de ténor, il adorait chanter chez lui, pour le plaisir, tous les grands airs du répertoire italien qu'il interprétait avec une impulsivité redoutable. Venant aux séances pour chanter et seulement pour cela, il n'eut jamais l'intention de se poser les questions d'ordre psychologique et spirituel qui accompagnent généralement une telle démarche.

Néanmoins, en deux ans, il a eu le courage de se remettre en cause pour atteindre un résultat d'une qualité exceptionnelle; quand on l'écoute maintenent chanter derrière une porte fermée, on a l'impression d'entendre un jeune homme.

Cet élève m'a prouvé qu'un souffle et une voix bien employés ne vieillissent pas. Il a retrouvé une jeunesse vocale qui lui permet d'interpréter tous les airs du répertoire italien sans retourner contre lui cette espèce d'énergie forcenée qui fut la sienne. Par le biais de ce travail, toute sa vie relationnelle s'est apaisée. Sa santé s'est améliorée; ses problèmes de tension ont disparu. Plus personne ne le reconnaît, ni son médecin, ni sa femme, ni ses collègues. Il est devenu *calme*. Ces changements se sont lentement opérés en lui, en profondeur, à partir d'une simple envie de chanter qui fut et reste la sienne, à l'exclusion de toute autre motivation. Mon élève reconnaît que son travail vocal a tout bouleversé en lui, sans qu'il l'ait voulu, et il s'en félicite. Il continue à chanter régulièrement, avec cette même voix jeune qui ne le quittera plus. Il aurait bien tort de bouder son plaisir... et le mien.

Instrumenter son corps

Beaucoup de musiciens ont constaté l'impact de cette méthode de travail vocal et respiratoire sur l'amélioration de leurs interprétations instrumentales. Le premier cas que je vécus fut celui d'une pianiste qui devait passer son certificat d'aptitude à l'enseignement. Après une séance de travail très positive, je lui demandai de jouer un air, pour vérifier la qualité de son assise. Elle entama un morceau de Beethoven qui n'avait de Beethoven que le nom : il lui manquait la force nécessaire au rendu de cette œuvre. L'idée me vint alors de lui demander d'exécuter, toujours assise au piano, des exercices respiratoires et vocaux à partir des harmoniques graves. Quand l'énergie fut bien accumulée dans le hara, je la priai de rejouer le même air. J'eus l'impression, qu'elle partagea immédiatement, que quelqu'un d'autre jouait, qui correspondait au caractère beethovénien. Cette expérience fut renouvelée avec succès, devant témoins.

Un second cas vint confirmer mes sensations. Il s'agit d'un violoncelliste professionnel qui, après quelques mois de cet entraînement pneumophonique, avait tellement modifié ses sonorités que ses collègues de pupitre lui demandèrent s'il n'avait pas acheté un nouvel instrument.

Atteindre cette parfaite concentration ne va pas de soi; il faut beaucoup s'exercer pour que, à la longue, le système respiratoire finisse par mûrir. L'instrumentiste au travail sur lui-même commence par repérer des sensations de plénitude qui surgissent spontanément, sans qu'il puisse les provoquer. Puis il parvient à les intégrer dans son corps, qu'il ressent comme le véritable instrument de musique.

Le piano ou le violoncelle ne sont là que pour extérioriser l'harmonie qu'il a d'abord réalisée en lui par le souffle, le son, les vibrations et la statique corporelle.

Il faut dire que certains interprètes éprouvent des difficultés spécifiques, en rapport avec les caractéristiques propres à leur instrument. Ainsi, beaucoup d'instrumentistes à vent agitent fébrilement le haut du corps en jouant; comment pourraient-ils se centrer dans ces conditions? Le trompettiste Maurice André, quant à lui, a le même physique que Pavarotti; il est doué d'une soufflerie très concentrée, bien verticalisée, dans la force et la sérénité.

D'autres exécutants ne sont vraiment pas gâtés par les attitudes auxquelles les contraint leur instrument; ainsi, je fais travailler une organiste qui éprouve bien des difficultés à rester concentrée pendant qu'elle joue, en même temps, avec les bras et les jambes. L'observation minutieuse de sa position de jeu est indispensable pour sélectionner les exercices susceptibles de l'aider au mieux.

Quel que soit l'instrument envisagé, le jeu se met à changer lorsque le musicien, mentalement détaché de toute volonté personnelle d'interpréter l'œuvre, laisse l'énergie l'envahir et agir. L'instrumentiste semble devenir alors une sorte d'intermédiaire neutre entre une force venue d'ailleurs et l'auditeur qui recueille la musique comme si elle émanait directement du compositeur. La musique ainsi ressentie et transmise prend une dimension extraordinaire, qui oblige à poser la question de l'orgueil de l'interprète. Interpréter une œuvre, qu'elle soit musicale ou littéraire, exige de la force, de la sagesse et une forme supérieure d'empathie. L'exécutant se place dans l'état de concentration énergétique nécessaire pour capter le message musical, se laisse guider par lui et le restitue sans aucune interférence de l'ego. Mozart ou Beethoven ne l'ont pas attendu pour que leur musique existe.

A chacun sa voie

Les comédiens, les enseignants, les avocats, les membres du clergé, les musiciens et les artistes en général s'intéressent particulièrement à la méthode d'analyse, de construction et d'harmonisation par la voix. Mais bon nombre d'élèves appartiennent à d'autres catégories professionnelles, car la réalisation de soi peut concerner chacun de nous, quelle que soit sa profession, qu'il en ait une, qu'il n'en ait pas, qu'il n'en ait plus ou qu'il se prépare à l'exercer.

Par exemple, certains étudiants en logopédie/orthophonie, en médecine ou dans des disciplines paramédicales choisissent ma méthode de travail comme sujet de mémoire et participent, dans cette optique [1], à des stages en groupe. Leur propre expérience et celle des autres leur fournissent les matériaux nécessaires à l'étude qu'ils souhaitent entreprendre.

Si la préparation de ce travail s'étale sur une période suffisamment longue, ils peuvent constater l'infinie variété de cas et de motivations individuelles, la grande diversité des rythmes de formation adoptés par les élèves eux-mêmes, et l'étonnante convergence finale des résultats obtenus. Certaines personnes s'astreignent à un travail individuel, hebdomadaire ou mensuel; d'autres optent pour des stages en dynamique de groupe, semestriels ou annuels. Dans ce dernier cas, il est frappant de constater la profondeur de l'évolution qui s'est effectuée entre deux stages, à l'insu de l'élève lui-même. Tout se passe alors comme si le maître de voix agissait à la manière d'un jardinier qui sème ses graines avant l'hiver. La germination fait son œuvre dans l'obscurité du sol, au moment où la nature semble sommeiller. Mais au printemps, il suffit le plus souvent d'émotter la terre craquelée pour y découvrir les premières pousses.

Les démarches pneumophoniques que j'accompagne obéissent à une périodicité particulière à chaque élève. Les premières séances provoquent souvent des déblocages spectaculaires; les suivantes peuvent ne produire, en comparaison, que des succès mitigés, voire insignifiants. L'élève a même parfois l'impression de stagner ou de régresser. S'il n'est pas suffisamment soutenu ou motivé, il peut alors présenter des conduites de découragement,

1. Je citerai, à titre d'exemple, un mémoire reçu avec succès à l'Université catholique de Louvain, institut Marie Haps : *Analyser, construire et harmoniser par la voix – Méthode Wilfart*, Catherine Chautard, année académique 1991-1992.

d'échec, d'abandon. Mais une phase de latence est toujours suivie, si le travail se poursuit en profondeur, de nouveaux progrès, de réalisations qu'on n'espérait plus. Certains élèves peuvent, un beau matin, se réveiller différents et ne plus se reconnaître dans le miroir de la salle de bains... C'est une image.

Pour étudier objectivement le travail sur le souffle et le son, deux conditions préalables paraissent dès lors requises :

– l'avoir effectué sur soi-même;

– disposer d'un recul suffisant pour pouvoir estimer objectivement le processus évolutif qui s'accomplit, en soi et chez les autres, par paliers et bonds successifs.

Le cas d'une dame d'âge avancé est démonstratif des affirmations qui précèdent. Elle me fut présentée par des membres de sa famille qui fréquentaient déjà mes cours. Veuve, cette personne n'avait, semble-t-il, vécu jusque-là que pour s'occuper des autres : son mari, ses enfants. Elle n'était guère sortie de son milieu familial. Très prudent au départ, je tâchai simplement de ne pas la faire fuir. Un observateur extérieur aurait pu, à bon droit, douter de la fonction métamorphosante du travail circonspect qui s'effectuait à ce moment-là sur le souffle et le son.

Pourtant, au fil des séances, l'élève prit goût à ces exercices respiratoires, vocaux et posturaux que je lui proposais. L'affaissement de la colonne dont elle souffrait se corrigea progressivement; cette femme, repliée sur elle-même au départ, se regonfla le ventre, se redressa, se débarrassa d'un « corset » dont le port lui était imposé. Elle reprit goût à la vie. Cette transformation physique et psychique se manifesta spectaculairement par des initiatives inattendues : deux ou trois fois l'an, ma « vieille dame indigne » part en vacances. Elle a décidé de voir du pays. Sa vie a pris un sens qui l'épanouit. Jamais, je n'aurais imaginé possible de parcourir, en plein troisième âge, un chemin aussi long, au propre comme au figuré.

Un certain nombre d'élèves me sont envoyés par leur médecin. Il s'agit souvent de patients atteints de troubles respiratoires ou énergétiques, qui peuvent trouver dans mes exercices pneumophoniques un adjuvant à la thérapie principale qui leur est administrée par ailleurs. Bien sûr, le médecin suit l'évolution de son malade en travail chez moi, de sorte que le traitement et les séances de voix s'harmonisent et cumulent leurs effets.

A vrai dire, la méthode d'analyse, de construction et d'harmonisation par la voix prend de plus en plus une coloration paramédicale, mais elle ne fournit pas nécessairement *la* solution idéale, car n'importe quel patient n'accepte pas nécessairement ce genre de démarche. Il doit présenter des caractéristiques précises, comme : se sentir concerné par le travail vocal; être intéressé par la connaissance de soi; faire preuve de la disponibilité nécessaire; être capable de se remettre entièrement en question; vouloir mener à bien cette recherche en allant courageusement au bout de soi-même. Beaucoup ne sont pas prêts à entreprendre un tel cheminement. D'autres n'en éprouvent pas l'envie.

Chacun mange selon sa faim et boit selon sa soif au banquet de la vie. Il serait illusoire d'espérer rassasier chaque convive en imposant à tout le monde un menu identique.

La lutte de Jacob

Comme dit l'adage, il arrive que l'appétit vienne en mangeant. L'un de mes amis, intéressé au début par une simple collaboration journalistique avec moi, s'adonna à des exercices de chant afin de comprendre mon travail en profondeur en le réalisant sur lui-même. Il s'était construit très tôt, dès l'enfance, un personnage presque exclusivement mental qui évolua, au fil de ses études, vers une cérébralité stérilisante. Il vivait dans sa tête et ne communiquait avec autrui qu'en émettant sur les hautes fréquences intellectuelles qu'il avait lui-même sélectionnées. Son existence s'écoulait dans le calme apparent d'une culture confortablement introvertie. Cet homme, d'un commerce agréable au demeurant, vivait dans une sorte de réclusion affective; il ne prenait aucun risque, craignant par-dessus tout l'aventure en terre inconnue.

Cependant, par le développement même de sa démarche intellectuelle, il avait compris qu'il s'était engagé dans une voie sans issue et que, pour rebrousser chemin, ses expédients habituels ne lui seraient d'aucun secours. Intuitivement, il pressentait qu'il devrait se servir de son corps – et peut-être sévir contre son corps – pour accéder à une forme d'épanouissement spirituel à laquelle il aspirait. Mais, une fois de plus, il ne s'agissait là que d'un simple concept sans portée pratique. A défaut d'une technique applicable *in situ,* il restait profondément *désenchanté* et ne pouvait exprimer cette insatisfaction, en continuant à se supporter lui-même, que par le biais d'une forme d'humour assez particulière, mélange d'autodérision et d'insolence.

Alternant les stages en dynamique de groupe et les séances particulières, il prit goût à l'exercice du souffle et du son, ce qui commença à modifier ses rapports avec les autres. Il donna davantage sa voix et donc, se donna davantage. Il en arriva progressivement (et il lui en coûta beaucoup...) à une plus grande franchise dans ses relations interpersonnelles, c'est-à-dire, en un premier temps, à une certaine libération d'agressivité. Mis en confiance et raffermi dans sa manière d'être, il exprima de plus en plus clairement ses jugements, ses attirances, ses refus. Son travail sur la voix l'aida à faire place nette en lui donnant la force de se dépêtrer de tout un réseau de relations fausses qu'il s'était tissées autour de lui et en lui.

Cette réduction à l'essentiel lui permit de s'épurer de certains comportements parasitaires; il y gagna en sobriété et en confiance.

En même temps, ses rapports avec son corps changèrent. Cet homme, qui n'était jamais parvenu à accepter entièrement son apparence physique ni donc sa voix, se sent maintenant plus à l'aise. Il dut pourtant payer le prix fort : chez lui, la recherche de verticalité et de prise au sol se traduisit par le déclenchement d'une sciatique associée à une hernie discale. Le travail sur la voix est décidément, me dit-il un jour, un « sacré révélateur ». Et de me rappeler, sur un ton mi-figue mi-raisin, l'épisode biblique de Jacob qui, après sa lutte avec l'Ange, se mit à « boiter de la hanche ». Or, mon ami présente effectivement une blessure (une claudication) spirituelle. Comme beaucoup de cérébraux, il souffre d'un refoulement du sacré, c'est-à-dire d'une faiblesse du sacrum [1]. Dans son cas, une conversion religieuse, latente depuis des années, apparaît inévitable. Elle se produira probablement de concert avec la dissolution des tensions qui raidissent encore la nuque, les épaules et la mâchoire inférieure, et le point douloureux à la hanche restera comme le témoin d'un déséquilibre intérieur qu'il fut long à reconnaître.

Stages en dynamique de groupe

La méthode de travail vocal trouve certainement l'une de ses applications les plus achevées dans les stages en

---

1. Sacrum = « os sacré ».

dynamique de groupe. Leur but est de permettre aux participants de se libérer, de se reconstruire et de s'épanouir en osant être véridiques face aux autres. Ce genre de démarche ne peut qu'aboutir, tôt ou tard, à une expression sociale harmonieuse puisque, par essence, la voix est un moyen de communication.

Si les séances individuelles autorisent un travail en longueur et en profondeur, dans un travail de groupe, chacun passe à son tour et ne dispose que d'un quart d'heure environ. Le maître de stage ne peut donc se permettre aucune perte de temps. Il doit se montrer aussi efficace que possible dans des délais aussi courts que possible; il doit frapper vite, fort et vrai. Dans ces conditions, chaque prestation constitue forcément un choc impressionnant pour le chanteur et pour les autres participants.

Je dis « participants », et non « spectateurs », car il est fait appel, au sein de ces groupes, à la collaboration active de chacun, garante d'une forte émulation. Le groupe entier soutient le chanteur et encourage son évolution; il l'aiguillonne et le protège à la fois. En cas de tension trop forte, le risque d'une chute dans l'émotionnel peut survenir. Il appartient alors au maître de stage de juger si cette décharge affective est nécessaire au stagiaire ou si elle constitue une échappatoire stérile.

Après quelques jours d'un tel travail communautaire, les individualités ont foncièrement changé; des progrès intenses sont accomplis. A quoi tiennent la vivacité et la profondeur de ces transformations? Je crois que, par le biais du souffle et du son, une énergie naît, circule et se communique, un climat particulier se développe, que les ésotéristes nomment « égrégore ».

De fait, ces stages se déroulent dans une atmosphère de recueillement et de fascination obtenue par l'inlassable répétition des inspirs, des sonorités instrumentales et vocales. La reproduction d'un même mantra par plusieurs voix successives crée, au fil des heures, une sorte de mélopée proche du chant sacré. Une fraternité intensément vécue, qui ne crée pas de dépendance à l'issue du stage, se développe de séance en séance, de matinée en après-midi et, le dernier jour, lorsque chacun est convié à exprimer son expérience, l'allégresse est la note dominante dans les interventions.

Ces stages se situent hors du temps et de l'anecdote; classes d'âge et fonctions sociales se confondent pendant le travail, pour ne laisser subsister que l'identité profonde des participants. Certains élèves, pour des raisons géographiques, préfèrent cette formule à toute autre et réalisent l'ensemble de leur formation par ce moyen, sans recourir à des séances individuelles. Entre deux stages, on constate que les acquis subsistent, et même que la maturation de la voix et de la personnalité s'est poursuivie à l'insu de l'élève.

Travail pneumophonique et démarches thérapeutiques

De multiples convergences se manifestent entre le travail sur la voix tel que je l'envisage et certaines disciplines médicales. Ainsi, la démarche ostéopathique s'est révélée très complémentaire de la mienne. Pour remettre une voix en place en rétablissant son équilibre harmonique, il faut en effet restaurer l'eurythmie des chaînes musculaires, qui se répercute sur l'ensemble de la personnalité.

Homéopathes et acupuncteurs ont, de leur côté, compris bien avant moi le parallélisme de nos pratiques. Les exercices sur le souffle et le son produisent en l'élève des réactions physiologiques et énergétiques comparables à celles que provoqueraient leurs traitements. Faut-il s'en étonner, quand on sait l'importance que la médecine chinoise accorde à la notion du souffle? Le thérapeute cherche, lui aussi, à rétablir la libre circulation du souffle chez son patient. Il envisage l'être humain comme médiateur entre le ciel et la terre : la voix relève du premier de ces principes et utilise le second pour s'exprimer. D'après cette conception, le souffle et le son, expressions de l'intériorité, seraient révélateurs des perturbations vécues par le patient dans sa maturation psychique et somatique; ils permettraient de remédier aux blocages ainsi diagnostiqués.

L'exercice assidu et correct du chant autoriserait donc la « finalisation » de l'être humain, c'est-à-dire la résolution de sa dualité, l'harmonisation du *haut* et du *bas* – pour utiliser la terminologie hermétique. Le thérapeute se définit alors comme l'accompagnant ou, mieux, l'initiateur d'une prise de responsabilité du patient : par des techniques alimentaires, respiratoires et spirituelles adéquates, celui-ci devient acteur de sa propre santé physiologique et psychique.

Un praticien responsable en santé publique effectuant un travail vocal dans un stage en dynamique de groupe a constaté l'impact de cette méthode de chant sur le psychisme et le système respiratoire. A partir de ces observations, il s'est interrogé : ne serait-il pas possible d'utiliser ce genre d'exercices dans le traitement des maladies respiratoires, en médecine préventive, dans l'aide aux toxicomanes et aux sidéens?

En tout cas, le retentissement psychique de ce travail vocal ne peut être ignoré; les libérations émotionnelles et affectives en cours de séances le démontrent à suffisance. L'enracinement de l'individu, prélude à son recentrage entre terre et ciel que décrivent les médecines traditionnelles, entraîne à la fois une réharmonisation corporelle et une transformation profonde de la psyché. L'aspect sonore et non verbal de cette discipline vocale qui se passe de mots est garant de l'intensité de l'expérience qu'elle propose, et qui touche à l'essence de l'être, à son *fondement*, à son *assise*.

Il est apparu très tôt dans ce travail que, dès que l'on touche à la voix et au respir profond, on provoque chez certains élèves des manifestations très spectaculaires d'ordre émotif et affectif : crises de larmes, de colère, de fou-rire, hurlements en position fœtale sur le sol, toutes formes de réactions libératrices. Les systèmes classiques d'analyse dénouent les conflits sur un plan abstrait, mais négligent le fait qu'à chaque nœud psychique correspond un nœud physiologique. Le travail sur le corps par le souffle et le son, en permettant de remettre la voix en son état complet, conduit le sujet à retraverser des zones affectives et émotives qui avaient été occultées.

L'analyse de l'individu par la voix se fonde sur le principe que l'on peut réécrire son histoire grâce à sa voix. Cette dernière est à l'image de la façon dont il l'emploie et surtout de celle dont il a perturbé son énergie-souffle dès sa plus tendre enfance.

Si le psychanalyste perçoit le message de souffrance du patient à travers ses mots, le travail de la voix, lui, le déchiffre à travers le maintien de l'élève, à travers sa respiration et les sons qu'il émet. Le corps est comme un livre ouvert où restent imprimées toutes les expériences affectives et relationnelles. Dès qu'un souffle plus global et une voix plus vraie sont retrouvés, un texte s'efface, un autre le recouvre : les effets psychothérapiques sont évidents et s'expliquent fort bien par le rôle que joue la récupération de l'espace respiratoire dans la réappropriation de soi et par la fonction éminemment interactive du flux vocal.

Ce travail, qui se passe de relation parlée avec l'autre

et en évite les distorsions, restaure la parole, reçue non plus en tant que message à décoder, mais en tant que pur plaisir.

Naître et mourir

Chez certains peuples primitifs [1], l'accouchement se pratique par le chant et le rythme. M.L. Aucher, avec son idée de *chant prénatal*, a retrouvé cette notion. Il semble que la libération de l'énergie vocale dans sa vérité harmonique soit la même que celle qui permet à l'enfant de venir au monde; le son juste, qui résulte d'une énergie et d'un rapport de force justes, est matière devenue énergie, tandis que le bébé est énergie devenue matière. D'ailleurs, on m'a très souvent surnommé l'« accoucheur de voix ».

Certains praticiens ont bien compris qu'il n'est pas de meilleure propédeutique à l'accouchement, à la maternité, que le travail sur le souffle, le son, l'enracinement aussi, et je crois davantage à cette démarche profonde qu'à la fonction ludique du chant, dont le côté anecdotique me paraît un peu négligeable. Des exercices pneumophoniques adéquats, débarrassés de toute connotation linguistique, émotionnelle ou sémantique, sont à mon avis les plus aptes à préparer la parturiente, quelle que soit son origine ethnique, à l'acte universel de la naissance.

La femme qui attend un enfant développe un hara parfaitement naturel, et le chant peut l'aider à l'amplifier encore. Il en va de même pour la statique vertébrale. En

1. Le terme « primitif », débarrassé de toute connotation péjorative, qualifie ici un mode d'humanité proche de son état originel. *Primitivus :* « qui naît le premier ».

effet, les futures mères souffrent souvent de lombalgies, car leur colonne n'est pas prête à supporter un poids supplémentaire qui tend à déséquilibrer un rachis mal préparé ou déformé. Celles qui se sont livrées, suffisamment tôt, à un entraînement du souffle, du son, de la prise au sol et de la verticalité présentent, au contraire, un axe vertébral tout à fait normal; le poids de l'enfant ne fait qu'accentuer et confirmer une courbure que le travail de l'élève avait déjà bien dessinée.

Je voudrais, pour illustrer mon propos, citer le cas de cette personne de trente-cinq ans qui, pratiquant le chant avec moi, attendait son premier bébé. L'enfant pesait 4,9 kilos et se présentait en siège. Par haptonomie, on arriva à le replacer en position normale, mais il reprit son ancienne attitude. Finalement, la mère accoucha en quatre heures, avec une facilité qui stupéfia l'assistance, mais... en chantant.

Une question m'a un jour été posée par un médecin sur la préparation à la mort par le chant. Il semblerait que des exercices sur le souffle et le son soient de nature à aider le mourant à lâcher prise sans lutte ou anxiété inutiles. Une telle aide aux malades en « phase terminale » leur permettrait de glisser plus facilement, plus sereinement vers *autre chose.*

Certes, aucune initiative concrète n'a encore été prise à ce jour dans ce domaine, bien qu'on m'en ait souvent parlé. Il m'est pourtant arrivé de vivre des expériences de chant auprès de cancéreux ou d'autres malades. Il apparut chaque fois, après coup et à mon insu, que le travail que nous avions réalisé ensemble avait grandement aidé mon élève à franchir le passage, à rendre plus sereinement *le dernier soupir.*

Chant scolaire, chant familial

Il faut souligner le rôle que la discipline respiratoire et vocale peut jouer chez les enfants. L'un de mes élèves est à l'origine d'un projet de chant en milieu scolaire, subventionné par une municipalité. Il fait travailler individuellement des jeunes de sept à treize ans, pour aboutir à du chant d'enfants et à du chant d'ensemble. J'ai pu apprécier les résultats de cette expérience sur certains petits chanteurs que j'avais déjà eu l'occasion de suivre; une séance hebdomadaire d'une vingtaine de minutes suffit au ressourcement du souffle et à la réorientation du son. Après deux ans de travail seulement, des changements physiologiques très nets sont observés, qui influent sur la santé, le comportement et l'efficacité vocale des jeunes élèves.

Les enfants peuvent aussi participer à des séances de thérapie familiale par la voix. Jusqu'ici, je n'ai pas encore eu l'occasion de les développer systématiquement, mais je puis néanmoins faire état d'expériences précises. Il m'arrive en effet de faire travailler en même temps les enfants ou les jeunes gens et leurs parents. Une telle démarche en deçà et au-delà des mots crée une connivence entre eux et rétablit l'harmonie familiale, parfois au prix de certains heurts. La cellule familiale est constituée d'une série de rouages subtils, souvent mal imbriqués les uns dans les autres. Le réajustement de l'un d'entre eux grippe toute la mécanique et oblige à en réviser le fonctionnement pour rééquilibrer le mouvement des pièces et remettre le dispositif en marche.

Après ces périodes de crise ou de flottement, les relations s'améliorent au sein du groupe familial. Je constate souvent, par exemple, qu'un enfant en âge de trancher le « cordon ombilical » y parvient plus facilement.

Les séances de chant familial peuvent se comparer à une psychanalyse, dans la mesure où le travail en profondeur qu'effectue un individu se répercute inévitablement sur son ou ses partenaires. Si ceux-ci restent indifférents ou réticents vis-à-vis de leur conjoint ou de leur parent, les conflits surgissent en pleine lumière. Un élève m'avoue un jour qu'il avait enfin compris ce que lui disait l'un de ses amis : « Qu'il est dur d'être soi-même. » C'est vrai, mais c'est un devoir de le devenir. Être soi-même, c'est réaliser parfois que l'on a pu faire un mauvais choix, le remettre en cause, et donc rompre un lien conjugal, sentimental ou autre.

Dans la majorité des cas, la redéfinition de soi et de son rapport à l'autre ne va pas jusqu'à la séparation. Couples et familles sortent généralement consolidés de ce genre de travail, car plus vrais et plus unis à travers un souffle et un son vécus de commun accord.

Le chant et les arts martiaux

La philosophie de ce travail peut être comparée à celle des arts martiaux; dans les deux disciplines, en effet, on considère que le premier ennemi est le pratiquant luimême. Un certain nombre d'adeptes des arts martiaux se sentent attirés par l'entraînement du souffle et du son que je propose et figurent parmi mes élèves les plus assidus. Je ne voudrais surtout pas contester le bien-fondé de démarches fondamentales comme le yoga, le Zen, le tai-chi-chuan qui ont leur raison d'être depuis des millénaires.

Toutefois, j'ai constaté que ces arts martiaux sont parfois enseignés maladroitement, par des moniteurs peu qualifiés qui en pervertissent l'esprit originel; beaucoup d'élèves, croyant avoir affaire à de simples *sports de combat*, abordent ces disciplines avec une mentalité de compétiteurs. D'autre part, même s'ils sont judicieusement informés et animés d'une mentalité positive, un grand nombre de disciples ne sont, à mon point de vue, pas prêts à se réaliser en suivant ces voies : sur les plans énergétique, statique et musculaire, ils vivent des blocages et des tensions qu'une pratique assidue des arts orientaux ne parviendra pas à dissoudre et ne fera même qu'amplifier, dans certains cas.

Par contre, si le terrain est prêt, si l'individu est bien centré, si l'enseignement est correctement transmis par un maître véritable, l'étudiant trouvera son équilibre et le maintiendra contre vents et marées. La clé de la réussite est le maître. J'ajoute que celui qui se dit maître ne l'est déjà plus... Cette fonction de transmission de maître à élève est pourtant essentielle et éternelle. Dans les arts martiaux comme dans le chant, dans la danse et, d'une façon générale, dans toutes ces pratiques qui utilisent les énergies subtiles, c'est la qualité du maître qui fait celle de l'enseignement. A l'heure actuelle, trop de personnes peu qualifiées prétendent ouvrir des salles pour professer les arts martiaux, le Zen ou le yoga devant des groupes d'une vingtaine d'élèves. Quelle erreur de jugement! Ces disciplines exigent, comme la mienne, une observation intérieure du corps dans ses tensions de chaque instant; un suivi rigoureux ne peut donc être assuré qu'en présence de deux ou trois étudiants au maximum. Personnellement, je constate l'impossibilité de faire chanter plus d'une personne à la fois.

Il faut dire que l'enseignement des arts martiaux est fréquemment déformé et occidentalisé, sinon politisé; beaucoup de pratiquants les assimilent à de simples techniques d'autodéfense ou de combat comme la boxe, la lutte ou la savate. Dans ce cas, les entraînements font appel à l'agressivité des élèves auxquels ils donnent des outils dangereux. La propagande intéressée que répandent certains films auprès de la jeunesse est pour beaucoup dans cette détérioration de l'esprit des arts martiaux par des images de violence et d'exploits puérils.

Les adeptes des arts martiaux qui viennent chanter en séances individuelles ou en stages dénoncent, comme je viens de le faire, les erreurs signalées ci-dessus. Ils défendent la conception traditionnelle de leurs disciplines dans sa pureté originelle. Par exemple, le tai-chi envisage le pratiquant, tel un alchimiste, à la fois comme matière première, artiste et œuvre. Le corps que l'on est, en opposition au corps que l'on a, est alors vécu en tant que moyen de connaissance, car fondement du rapport à soi-même, aux autres et au monde.

Autre exemple : un de mes élèves pratique le penchak silat, style garpong, art martial malaisien encore peu connu en Europe. C'est un jeune homme bourré de qualités morales et physiques, toujours prêt à se donner généreusement. Lors d'une séance particulièrement difficile pour lui, il parvint à rétablir, en jouant avec le souffle et le son, les meilleurs rapports possibles entre ces deux énergies; mais, à cet instant précis, plus aucun son ne s'exhala de son corps. Je lui dis alors que, pour moi, s'il devait combattre en utilisant vraiment son énergie et rien qu'elle, « il n'en serait que là dans son efficacité ». Frappé par cette formule, mon élève poursuivit ses cours de penchak en vue d'obtenir son diplôme d'enseignant et, à la lumière de l'expérience que lui apportent nos séances de chant, il opère en douceur une refonte complète de la formation martiale qu'il a reçue. Jusqu'ici, il avait pratiqué son art à travers une tension énorme. Il se rend compte que l'esprit du penchak avait été complètement détourné; il s'efforce désormais d'en réformer l'usage en lui-même d'abord pour pouvoir, dans un second temps, le transmettre.

Correction des accents et enseignement du chant

Après avoir vécu durant quatre ans une expérience de travail vocal avec une troupe théâtrale, j'ai pu constater que les comédiens, à côté de qualités exceptionnelles, présentent à mes yeux un défaut majeur : « formés » comme ils le sont aujourd'hui, ils s'entraînent à refléter superficiellement les apparences sensibles qu'on leur demande de rendre, mais n'acceptent jamais d'aller au bout et au fond d'eux-mêmes.

Appelé ensuite à collaborer avec le département des étudiants étrangers à l'université de Lille III, je tentai, grâce à la méthode appliquée à mes comédiens, d'aider ces étudiants à corriger leur prononciation de la langue française.

Il apparut très rapidement que, par un travail de maîtrise du respiratoire profond et de la trajectoire vocale, il était possible de corriger les accents de manière remarquable. Ces cours m'ont permis de rééduquer des étudiants de cinquante-cinq nationalités différentes et de vérifier expérimentalement ce que je pressentais : au niveau de la respiration profonde et du cri à l'état brut, quelles que soient la race, la culture, la langue et la nationalité, nous sommes tous identiques.

Comment expliquer ces résultats? Sans doute de la façon suivante : dès que l'on permet à un individu de se remettre en contact avec le respiratoire profond et qu'on lui donne les moyens de le maîtriser, il semble retrouver bien plus facilement la source de tout système phonémique et aborder plus aisément la prononciation d'une langue avec laquelle il tâche de se familiariser. Ne pourrait-on comparer la prononciation de la langue maternelle avec un tableau noir sur lequel un texte serait inscrit? La méthode actuelle d'apprentissage de la prononciation d'une langue étrangère consisterait à réécrire sur le tableau un nouveau texte superposé à l'ancien. Ma technique viserait plutôt à *effacer* le tracé initial pour faire *table rase* et réintroduire le sujet dans son état natif de disponibilité phonémique. Mes recherches en pédagogie des langues étrangères par le travail de la voix ont fait l'objet, en 1986, d'une communication à l'Université libre de Bruxelles, dans le cadre d'un colloque SGAV – structuroglobal audiovisuel – dont les actes furent publiés dans la *Revue de Phonétique appliquée.*

Quant à l'enseignement du chant, il faut bien avouer qu'il ne brille pas par son efficacité. Très vite, en effectuant ce travail sur le respiratoire profond et sur la direction de l'émission sonore, avec des cas difficiles, j'ai constaté, quand la formation arrive à son terme, que *tout le monde a une voix,* et pas n'importe laquelle : une grande et belle voix. Pourquoi, dès lors, sont-elles si peu nombreuses sur le « marché » de l'art lyrique?

La formation des comédiens devrait, comme celle des chanteurs, faire l'objet d'une refonte globale. Les modèles nous en sont fournis par les arts traditionnels comme le nô ou le kabouki, qui démontrent que la matière de toute vraie voix se découvre dans la violence du cri de l'enfant, mûrie et harmonisée à travers le corps tout entier.

Regardons jouer les comédiens actuels. Presque tous présentent ce que Wilhelm Reich appelait une *colonne névrosée.* Je les connais bien. J'en vois à longueur de journée, de ces rachis dorsaux bombés. Nous sommes presque tous bâtis de cette manière, mais nous pouvons nous corriger, dans une certaine mesure, à condition de ne pas accentuer ces symptômes de dégradation par une activité constamment névrotique. Or, mon expérience avec les comédiens me donne à penser qu'ils versent dans ce travers. Au lieu de construire leur jeu et de se construire eux-mêmes par une maîtrise de leur être profond, ils alimentent systématiquement des tensions anxieuses dont ils tâchent de tirer un art du paroxysme.

Ma première expérience avec un comédien fut révélatrice; alors qu'il m'était si pénible, d'ordinaire, d'extraire une voix de sa gangue, le comédien entra immédiatement dans le jeu, sans restriction apparente. Mais justement, ce n'était qu'un jeu. Il donnait du souffle et de la voix sur un mode impulsif et névrotique, comme il en avait pris l'habitude à l'école. Dès que je lui demandais d'entrer un peu en lui-même, il s'esquivait. Si j'insistais, il s'enfuyait. Il voulait bien jouer avec sa voix, mais pas davantage, comme tous ses pairs que je rencontrai ensuite.

Je me souviens d'une discussion nocturne avec un comédien professionnel talentueux; nous tâchions de différencier les jeux de deux comédiens connus – l'un, Piccoli, parfaitement maître de lui-même, et l'autre, dont nous tairons le nom, qui n'agit qu'en exploitant sa névrose.

L'un est véritablement comédien, c'est-à-dire qu'il entre dans une pièce, dans un fragment de vie que l'auteur lui demande d'animer. L'autre est un acteur, au sens où l'entendait J.-L. Servan-Schreiber dans un exposé intitulé *L'action est-elle une névrose?* Trop souvent, constatons-nous, l'acteur est contraint, pour recharger son potentiel psychique, de recourir à l'alcool, à la drogue, jusqu'à ce que le fantoche s'écroule.

Tout un enseignement conditionne dans ce sens les professionnels du spectacle et nous sommes quelques-uns à le soupçonner d'agir ainsi de propos délibéré. Les programmes de formation traditionnels ont été abandonnés; les cours de diction, de déclamation et d'interprétation de scènes classiques ne préparent plus à la création. La plupart des écoles de théâtre, au contraire, mettent immédiatement les adolescents (immatures, par définition) en contact avec des rôles très forts qui n'aident nullement les jeunes interprètes à se charpenter, mais leur font courir le risque d'une implosion psychique. En fin de circuit, le metteur en scène dispose à volonté d'une foule d'acteurs en quête de personnages certes, mais plus encore de *personnalité*, et c'est dramatique. Le metteur en scène ou le réalisateur, qui connaît la différence entre troupe et troupeau, devient alors, forcément, une sorte de dignitaire tout-puissant, sinon tyrannique.

Cette situation, humainement intolérable, exigerait sans doute un assainissement complet de l'enseignement des métiers du spectacle. A mon sens, il serait urgent d'initier les étudiants aux techniques respiratoires et corporelles de réalisation de soi. Au terme de ce processus d'individuation, ceux qui persisteraient dans leur souhait de faire de la scène ou du cinéma auraient une chance de poursuivre leur formation sur des bases solides. Ils seraient en tout cas armés pour affronter les aléas d'un métier où l'on s'amuse beaucoup, une dizaine de mois par an... au chômage.

Le chant sacré

J'ai été mis en relation avec certaines communautés religieuses. Je fus ainsi contacté par une communauté bénédictine du nord de la France. Une jeune sœur souffrait de graves difficultés respiratoires. Son médecin, après de nombreuses investigations, lui demanda d'arrêter le chant pendant une quinzaine de jours. Il est vrai que, dans ces abbayes, les moniales chantent parfois cinq heures par jour. Cette pause coïncida avec une amélioration spectaculaire de l'état respiratoire de la patiente. Fort de ce constat, le thérapeute conseilla à la sœur de venir me voir.

Elle arriva chez moi, accompagnée d'une sœur plus âgée, infirmière de la communauté, qui assista à mon travail. Cette religieuse, très en recherche, m'invita à visiter la communauté, afin d'en faire chanter tous les membres. Je fus donc amené à animer un atelier dans le couvent. A cette occasion, je pus constater que les sœurs chantaient très mal, dans de mauvaises postures, et que le grégorien, qu'elles pratiquaient dans des tonalités trop aiguës, les exposait effectivement à des affections respiratoires et à des accidents vocaux.

Le chant sacré, comme je l'ai signalé plus haut, devrait résulter d'une harmonisation des sept chakras. Pour parvenir à ce résultat, un travail en profondeur sur l'instrument s'impose. En effet, l'interprétation « désincarnée » du grégorien qui prévaut aujourd'hui témoigne d'une ignorance complète – sinon d'un rejet volontaire – des chakras inférieurs, 1 et 2. Plutôt que de transcender la force vitale sexuelle, les chanteurs sacrés catholiques préfèrent l'ignorer, la censurer. La pratique du grégorien dans des tonalités suraiguës est préjudiciable à l'instrument corporel, à la respiration, au souffle et au son, principes fondamentaux du chant sacré qui, sans eux, perd son sens et son rayonnement.

Suite à cette première expérience, il fut décidé que je déléguerais l'une de mes élèves pour permettre aux sœurs bénédictines de s'exercer dans leur abbaye. Je me réservai la supervision de l'ouvrage. Progressivement, j'en suis arrivé, avec l'accord de la hiérarchie de Solesmes, à former une sœur à ma méthode de travail sur la voix, pour lui permettre de la diffuser quotidiennement au sein de sa communauté. Cette initiative n'allait pas de soi; il fallait secouer les torpeurs, vaincre les résistances. Cependant, d'après les témoignages qui s'exprimèrent presque aussitôt, leur chant fut jugé plus beau, plus radieux. Les novices, notamment, se montrèrent particulièrement enthousiastes, mais quelques sœurs plus âgées restèrent attachées à leurs anciennes pratiques.

L'expérience se poursuit depuis quatre ou cinq ans. Elle intrigue la hiérarchie, qui semble y déceler un souffle nouveau. Il est vrai que, dans les « hauts lieux » où le grégorien est encore interprété, le résultat paraît tellement aléatoire qu'une réforme s'imposerait, à mon avis. Par exemple, je peux attester qu'à Solesmes, le chant est tellement tendu que, à certains moments, les exécutants ne peuvent plus tenir les sonorités aiguës qu'ils exigent d'eux-mêmes. Le phrasé reste beau, mais le chant devient faux par rapport à l'orgue qui, lui, a conservé sa tonalité.

Comme je l'ai déjà indiqué, une recherche fondamentale et historique devrait être menée, en vue d'harmoniser la pratique du chant sacré avec la vérité vocale et corporelle des moines et des moniales.

D'ailleurs, je fus également sollicité par des moines pour les aider à résoudre des problèmes de santé liés à l'exécution intensive du chant en communauté. Le chant pratiqué longuement sur des bases fausses peut, à l'évidence, déclencher, par le biais de difficultés pneumophoniques, des troubles d'ordre statique, physiologique et psychique. En général, les tonalités demandées aux moines sont celles que pourraient produire une voix de ténor ou de soprano. Mais la plupart d'entre eux ont des voix plus graves. Si on sollicite à contresens, de manière répétée, la personnalité vocale et physiologique, l'instrument se détériore, dans toutes ses dimensions.

Les moines et les moniales qui utilisent cette méthode de travail vocal en ont perçu, très tôt et très profondément, les véritables enjeux. Quels sont-ils? Le mieux est, sans doute, de le leur demander. Voici donc, successivement, les témoignages d'un père bénédictin et d'une sœur bénédictine.

Chanter en jubilant

Père Emmanuel Latteur, moine bénédictin

« Ne me regardez pas, ce n'est pas moi, c'est l'Idée », disait un jour la grande danseuse Isadora Duncan en présentant aux Sakharof une de ses créations. « C'était sa manière de rendre témoignage à plus qu'elle-même en qui elle s'effaçait pour atteindre au sommet de son art », commentait Maurice Zundel [1].

Quelque chose de plus grand que nous se passe en nous, et cela y compris lors de nos épreuves, si nous voulons bien y prêter attention et y consentir un peu. La Règle de saint Benoît en a convaincu les moines depuis quinze siècles, elle dont la pédagogie profondément humaine avertit qu'on ne trouve son centre de gravité *(gravitas)* qu'après avoir traversé bien des morts! Elle situe « la parole imprégnée de gravité » en procédant du silence comme un jaillissement paisible et grandiose venant d'une communion de présence au fond du cœur; et celle-ci aura été chèrement payée par des silences pénétrés de patience (4e degré, chap. 7), des reconnaissances et aveux de faiblesse et d'impuissance (5e degré), des acceptations de longs cheminements où « l'homme intérieur semble s'en aller de ruine en ruine » (Paul, 2 Cor. 4,16; 6e et 7e degrés). Pour saint Benoît, la chose est claire, l'homme doit apprendre longtemps à s'accorder à la respiration de l'Esprit au fond de son cœur, pour que perce en lui l'homme nouveau, remodelant de l'intérieur et la parole et le comportement.

Cela pour dire que, normalement, un moine ne devrait pas s'étonner si, un jour, des pans entiers de son existence s'écroulent et lui semblent longtemps ne jamais devoir être relevés. Et pourtant, je dois le reconnaître, j'ai été surpris et profon-

---

1. *Cf.* Claire Lucques, *M. Zundel, Esquisse pour un portrait*, Paris, Médiaspaul, 1985, p. 188.

dément secoué lorsque, suite à de trop longues fatigues, à l'une ou à l'autre opération et à des responsabilités pesantes trop vite reprises, la santé s'est amenuisée, le sommeil s'est enfui à tire-d'aile, pour me laisser sans voix, avec une sévère hypertension des cordes vocales. Fini le chant de l'Office divin, finies les conférences, finis les cours et les entretiens, finie la possibilité de donner encore mes forces dans tel contexte communautaire : bref, un silence quasi complet de quatre ans et demi, et qui durerait encore si je n'avais rencontré mon professeur de voix; en effet, la Faculté ne voyait d'autre solution qu'un arrêt des prestations vocales et une « reconversion dans le domaine littéraire ».

C'est ici que la confiance dans les forces enfouies au fond de notre être, et réanimées par une technique appropriée ainsi que par une respiration profonde et très basse qui refaçonne tout l'acte vocal et le corps tout entier, est venue me rendre progressivement cet acte vocal auquel je ne croyais plus. En dix leçons d'une thérapie exigeante (un peu moins d'un an), le résultat a été si étonnant, que même la Faculté vient de reconnaître que la voix est redevenue presque normale (je reprends même parfois le rôle de chantre!).

Avec un peu de recul, cette évolution me paraît correspondre merveilleusement à un processus que toute notre tradition spirituelle chrétienne n'avait cessé de rappeler et que, cependant, nous oublions si vite! Il y a une correspondance, une convergence d'insistance entre cette méthode de travail vocal et ce que nous enseignent les maîtres spirituels chrétiens, et je trouve donc ici une très belle confirmation d'un cheminement personnel. Qu'il me soit permis de souligner quelques aspects de cette convergence.

1. Il y a en nous plus que nous-mêmes : un Souffle qui guérit et refaçonne. Pour saint Clément d'Alexandrie déjà (IIIe siècle), notre corps est fait pour laisser chanter en lui le Verbe divin : « Le Logos de Dieu, méprisant la lyre et la cithare, instruments sans âme, régla par l'Esprit Saint notre monde, et tout particulièrement ce microcosme, l'homme, son CORPS et son âme. Il se sert de cet instrument polypho-

nique pour célébrer Dieu et il chante lui-même en accord avec cet instrument humain [...]. Car tu es pour moi une cithare, une flûte et un temple, une cithare par ton harmonie, une flûte par ton souffle, un temple par ta raison, en sorte que l'un vibre, l'autre respire et celui-ci abrite le Seigneur. [...]. Le Seigneur envoyant son souffle dans ce bel instrument qu'est l'homme, le fit à son image, mais il est, lui aussi, un instrument tout harmonieux de la divinité, accordé et saint [...] Logos céleste » (*Le Protreptique*, 5, 6, Sources chrétiennes, 2). Un demi-siècle avant lui, saint Irénée de Lyon (IIe siècle) prenait les mesures de cette anthropologie lorsqu'il disait : « Là où est l'Esprit du Père, là est l'HOMME VIVANT : [...] la CHAIR, possédée en héritage par l'Esprit, oublie ce qu'elle est pour acquérir la qualité de l'Esprit et devenir conforme au Verbe de Dieu » (*Adv. Haer.* V, 9,3; S.C. 153, p. 115s).

2. Les obligations de l'existence font souvent monter en nous une tension, une préoccupation, une fatigue, qui la font entrer dans un rythme trop rapide où elle s'aliène et s'épuise. Il faut retrouver une zone plus profonde, inspiratrice de nos actes, plus paisible et plus calme. Une technique de respiration peut nous y aider puissamment, comme déjà les hésychastes chrétiens l'avaient souligné [1]. Ruysbroeck (XIVe siècle), en nos pays, dénonçait « la première fièvre » qui « se nomme quotidienne; c'est la multiplicité du cœur, car ces hommes veulent tout savoir, parler de tout, corriger et juger tout, et ils s'oublient souvent eux-mêmes. Ils sont chargés d'inquiétudes étrangères, [...] et la moindre occasion les trouble. Leur fièvre est diverse, tantôt ceci, tantôt cela, tantôt ici et tantôt là, elle est semblable au vent. C'est une fièvre quotidienne, car tout ceci les absorbe, les inquiète, les multiplie, du matin jusqu'au soir et parfois la nuit dans le sommeil ou la veille [...] elle ôte le goût de Dieu et de toutes les vertus. C'est un éternel dommage [2] ».

3. Un jour, mon professeur de voix, insatisfait de la manière

1. *Cf. Petite Philocalie du cœur*, Jean Gouillard, Paris, Seuil, 1979, p. 16s.
2. *De l'ornement des Noces spirituelles*, Bruxelles, Éperonniers, 1990, p. 212.

dont je venais de produire un son, me dit : « Votre regard n'est pas assez intérieur ! » Il insistait sur la prise de conscience en nous d'un centre de gravité, plus profond que nous ne le pensions et à partir duquel nos actes régénérés doivent procéder, y compris l'acte vocal. Il y a en nous un « fond » régénérateur. Au XIVe siècle, le grand prédicateur Jean Tauler disait pour sa part : « Jamais l'homme ne s'imaginera devenir parfait (pour autant que cela soit possible ici-bas) sans que l'homme extérieur ne soit absorbé dans l'homme intérieur; c'est là que l'homme est introduit dans la demeure (c'est-à-dire le fond divin), c'est là que s'accomplit un tel prodige, qu'une telle richesse est manifestée [1]... » « Ceux qui arrivent à cet état [...] restent dans la paix au milieu de la contrariété et s'enfoncent, avec un amoureux désir, dans le FOND, rapportant à Dieu toutes choses, comme elles sont éternellement en Lui, et comme il les porte dans son amour et dans sa pensée [2]. »

4. Si nous nous remettons à lui, ce fond fait monter en nous abandon, calme, détente et paix. Citons pour la « convergence », un grand spirituel du XVIIe siècle, Angelus Silesius : « Qui est assis en soi entend la parole de Dieu [3]. » « Demandes-tu ce que Dieu préfère, qu'on agisse pour lui ou qu'on se repose? Je dis que l'homme doit, comme Dieu, FAIRE LES DEUX [4]. » « Le Verbe naît encore! En vérité, le Verbe éternel naît encore aujourd'hui. Mais où? Là où tu t'es perdu toi-même en toi [5]. » « Dieu n'exige rien de toi, sinon que tu reposes pour lui; fais-le et Il fera le reste de lui-même [6]. » « Le fou est affairé; toute l'œuvre du sage, dix fois plus noble, est d'aimer, de contempler, de reposer [7]. » « Quel est le luth de Dieu? Un cœur qui jusqu'au fond

1. *Sermons*, Paris, Desclée, 1927, p. 301.
2. *Ibid.*, p. 296.
3. *Pèlerin chérubinique*, Paris, Aubier, 1946, I, p. 93.
4. *Ibid.*, I, p. 217.
5. *Ibid.*, III, p. 188.
6. *Ibid.*, IV, p. 197.
7. *Ibid.*, V. p. 363.

s'apaise pour Dieu, comme Il le veut; Il aime à en toucher. Il est son luth [1]. »

5. D'où la nécessité de l'exercice par lequel nous nous ouvrons à notre nouveau centre de gravité! Ici, je renverrai à toute la tradition hésychaste dont le plus illustre représentant est saint Grégoire Palamas (XIVe siècle) (voir à ce sujet les belles études de Jean Meyendorff). Mais il y a aussi en Occident toute une tradition philosophique de l'expérience intérieure que Louis Lavelle appelle le « retour réflexif »: « Cette réflexion est un ACTE se retournant lui-même et cherchant toujours sa propre source. Une telle démarche ne poursuit point un objet qui nous fuit; elle est la démarche par laquelle l'esprit fonde sa propre intériorité, s'établit en elle et fait surgir de l'exercice même de sa liberté les raisons qui la justifient. Nous sommes ici au point où, en nous obligeant à devenir cause de nous-mêmes, nous pénétrons dans le secret originaire de la création [...] pour nous obliger à vivre dans l'instant où la création recommence toujours [2]. » C'est une chose qu'Olivier Clément appelle « rendre consciente la louange ontologique des choses. Dans le rapport secrètement nuptial qui l'unit à l'homme, le monde, comme une impersonnelle féminité, à la fois *se tient devant* lui et forme avec lui une seule chair. L'univers sensible tout entier prolonge notre corps. Ou plutôt, comme nous l'avons dit, qu'est-ce que notre corps, sinon la structure qu'imprime notre personne, notre *âme vivante,* à la *poussière* universelle, pour employer deux expressions bibliques. Il n'y a pas de discontinuité entre la chair du monde et celle de l'homme, le monde est le corps de l'humanité [3] ».

6. Cette méthode vocale entend nous faire dépasser le hurlement contemporain pour nous faire retrouver toute la vigueur et la fraîcheur du premier acte vocal de l'enfant. Le même Olivier Clément disait : « Nous sommes devenus une civilisation où on ne pleure plus, et c'est pourquoi on se met

1. *Ibid.*, V, p. 366.
2. *De l'intimité spirituelle*, Paris, Aubier, 1955, p. 40, 49.
3. *Questions sur l'homme*, Paris, Stock, 1973, p. 149.

tellement à crier aujourd'hui. Les jeunes crient comme s'ils voulaient libérer en eux les gémissements de l'Esprit emprisonné dans leur cœur de pierre [1]. » En retrouvant en nous les sources de l'Esprit, au fond de l'être, nous apprenons à remodeler la voix et le chant à partir d'une JUBILATION profonde.

« Bien chanter pour Dieu, c'est chanter en jubilant. Qu'est-ce que chanter en jubilant? Comprends que les mots ne peuvent traduire le chant quand c'est le cœur qui chante. Voyez en effet ceux qui chantent pendant les moissons ou les vendanges, ou quelque autre travail qui les absorbe. A peine ont-ils commencé à exprimer leur joie par des paroles chantées que, sous l'empire de cette joie trop abondante pour se traduire en paroles, laissant de côté les mots articulés, ils se mettent à pousser des cris de jubilation. Il y a jubilation quand le cœur laisse échapper ce que la bouche ne peut dire. Et qui donc peut être l'objet de jubilation mieux que le Dieu ineffable? L'Être ineffable est celui qui ne peut être dit; si donc tu ne peux le dire et que tu ne dois pas te taire, que te reste-t-il sinon de jubiler, en sorte que la joie du cœur éclate sans le secours des paroles et que l'immensité de l'allégresse déborde les étroites limites des mots [2]? »

De plus en plus, ma voix apprend à retraduire cette jubilation.

De la voix à la voie monastique

Sœur Mechtilde, bénédictine

Il y a deux ans, si j'avais dû répondre à la question : « Qu'en est-il pour vous, en tant que moniale, du travail effectué sur

---

1. Cité par Jean Lafrance, dans *La Prière du cœur*, Dourgne, abbaye Sainte-Scholastique, 1978, p. 30.

2. *Sur le Psaume 32*, cité par Humeau, *Les Plus Belles Homélies de saint Augustin sur les psaumes*, Paris, 1947, p. 11.

votre voix? », sans la moindre hésitation, j'aurais répondu : « Avant cette intervention, j'étais sérieusement en perte de voix; la voix m'échappait, me semble-t-il, tant et si bien qu'il me devenait de plus en plus difficile de chanter sans éprouver, à la longue, une certaine fatigue. Grâce à cette intervention, tout est remis en place. »

Et aujourd'hui, si, de nouveau, cette question m'était posée, que répondrais-je? Sur le plan vocal, je serais aussi affirmative, mais moins assurée quant au fait d'avoir vraiment re-trouvé ou tout simplement trouvé ma voix. Ainsi, tout en demeurant autant convaincue du bénéfice retiré de ce travail, si paradoxal que cela puisse paraître, je dois dire qu'en surimpression à cette certitude, une interrogation s'est levée en moi. Je précise tout de suite qu'il s'agit d'une question que je me pose à moi-même : « Es-tu sûre d'avoir compris et mesuré l'enjeu réel de ce travail sur la voix? Se limite-t-il vraiment à un exercice d'ordre respiratoire et vocal? »

Me voilà donc dans une position, ou une situation, quelque peu inconfortable! Il me faut bien en sortir d'une façon ou d'une autre, mais comment? Peut-être en commençant par clarifier autant que possible tout ce « senti » confus, imprécis et flottant.

Pour débroussailler le terrain, poser des points de repère, il me vint à l'esprit de mettre en vis-à-vis les deux « curriculum vitae », celui de mon professeur et le mien. Et quelle ne fut pas ma surprise de constater combien ces deux démarches existentielles si différentes se rejoignent et communiquent, en quelque sorte, en des points essentiels par rapport à leur projet de vie respectif.

Sans commettre d'indiscrétion, il me semble que je peux me permettre d'analyser ici la carte d'identité de mon professeur; et je lis tout d'abord ceci : carrière de chanteur lyrique, ce qui veut dire que l'art musical, et plus précisément l'art vocal, fut sa première raison de vivre.

Il mit un terme à cette carrière artistique. De « chanteur », il se fit « chercheur » en art vocal, c'est-à-dire qu'il devint « thérapeute » de la voix.

A ce passage – faut-il parler de « conversion » ? – de « chanteur » en « thérapeute », correspond, me semble-t-il, un changement de perspective au niveau vocal. Je me le représente ainsi : la voix, considérée tout d'abord sous l'angle particulier et bien déterminé d'organe et d'instrument musical, retient maintenant son attention, l'attention du thérapeute, en tant que fonction spécifiquement humaine, tant au point de vue des relations interpersonnelles, qu'au point de vue personnel, d'accès à sa propre identité. C'est bien elle, en effet, et à travers elle, que l'homme s'exprime totalement. La voix, en son registre de chant, comme en son registre de parole, traduit ou trahit tout l'être, toute la personne. Elle permet ainsi une saisie quasi immédiate et globale de l'homme, que l'on définit justement comme « corps parlant ».

Si, à mon tour, je tente de me « définir », il me suffit, je pense, et ce n'est pas là de ma part une dérobade, de citer saint Benoît lui-même. Au chapitre quatrième de sa Règle, il présente le monastère comme un atelier à l'intérieur duquel les moines s'exerceront, à l'aide d'instruments appropriés, à l'« art spirituel »... Ainsi, de part et d'autre, on peut retenir ce choix d'une carrière artistique !

Mais avant de m'étendre davantage sur les implications réelles contenues dans la pratique de cet « art spirituel », je voudrais proposer une autre définition de la vie monastique, empruntée à la tradition antérieure à saint Benoît lui-même.

Au Ier siècle de notre ère, il y eut, à Alexandrie d'Égypte, une communauté de laïcs juifs adonnés à la contemplation. Le philosophe juif Philon, qui nous les fait connaître, les appelle les *Thérapeutes*. Et trois siècles plus tard, saint Jérôme verra, dans cette forme de vie ascétique juive, comme une anticipation de la vie monastique alors à ses débuts.

Étymologiquement, ce terme de « thérapeute », en grec, désigne d'une part *celui qui s'adonne ou se voue au culte divin*; et d'autre part, il désigne *celui qui se voue au soin des corps*. Le thérapeute exerce donc ici une profession médicale, mais au sens très large. Car c'est *tout* l'homme qui relève de ses soins. Si c'est bien la maladie, sous quelque forme que ce soit, qui retient tout d'abord l'attention du thérapeute, celui-ci a souci de la santé, qu'il s'agit en premier de rétablir, pour la consolider et la dynamiser ensuite.

Faut-il marquer une solution de continuité entre la thérapie somatique et la Thérapie spirituelle? L'homme est un être relationnel, c'est-à-dire qu'il est « être-au-monde », « être-à-autrui » et en dernier ressort « être-à-Dieu ». Si on le considère sous cet angle relationnel, qui exprime un aspect constitutif de sa nature, indissolublement – si je puis dire – corporelle et spirituelle, on comprend à quel point la fonction vocale est primordiale.

Je pense qu'il est possible de faire ici un premier bilan. Objectivement, on peut établir des relations et des échanges entre le monde artistique et thérapeutique de mon professeur de voix, et le monde monastique qui constitue mon propre cadre de vie. Et cela en les considérant l'un et l'autre selon leur finalité essentielle. Voilà deux domaines très différents : mais quand on les regarde plus attentivement, on s'aperçoit que leur hétérogénéité se situe plus à un niveau de surface qu'à un niveau de profondeur. Car à ce niveau de profondeur, ils s'ouvrent l'un à l'autre. En l'occurrence, mon « vécu » monastique, en sa spécificité même, peut bénéficier de l'intervention de cet enseignant quant à sa propre compétence artistique et thérapeutique.

On voit donc qu'il s'agit d'une communication objectivement fondée. Il est alors possible de poursuivre cette recherche, sachant qu'au-delà d'une expérience toute personnelle vécue et exprimée ici, peuvent se dégager une signification et un sens offerts à qui voudra bien, à son tour, tenter pareille aventure.

Comme je viens de le dire, pour tenter de mettre au clair l'incidence, sur mon vécu monastique, du travail mené sur la voix, je suis partie d'une parenté de vocabulaire : « thérapeute de la voix » d'une part et pratique d'un « art spirituel » d'autre part.

Mais, au fait, pourquoi saint Benoît présente-t-il la vie monastique comme la pratique d'un « art spirituel »? Comment entendre cet « art spirituel »? S'agit-il d'une simple figure de style, d'une pure image sans signifié? Ou au contraire, faut-il considérer cette expression lourde d'une signification, expressément voulue, qui traduit au mieux le propos de son auteur?

Pour résoudre l'alternative, il faut commencer par se demander si cette expression est propre à saint Benoît, ou si, au contraire, il l'a reçue de la Tradition et l'a faite sienne.

Il sera alors intéressant de s'arrêter au texte même de la Règle où elle figure, pour en déterminer le sens. Cette clarification réalisée, il sera alors possible d'aborder le thème plus précis de cette étude : qu'en est-il de l'« art vocal » dans la Règle elle-même, si l'on peut dire?

S'il fallait tout de suite exprimer, en une petite phrase, à l'aide d'une image sonore, comment ce travail vocal réagit sur mon vécu monastique, je dirais, anticipant sur la suite : « Jusqu'à présent, j'écoutais la Règle en *mono,* et je l'écoute désormais en *mode stéréophonique.* »

Autrement dit, j'étais habituée à entendre la Règle uniquement sur le registre « éthique » en relation avec l'ordre « théologique », biblique surtout, qui en est le fondement. Désormais, entre cet ordre éthique, celui du bien, et l'ordre théologique, celui du vrai, est venu s'insérer l'ordre « esthétique », celui du beau.

Je n'entends pas cette assertion dans le sens d'une addition quantitative. L'esthétique est présente, dans mon écoute, de façon qualitative, au cœur même de l'éthique et du théologique, les obligeant en quelque sorte à se lester du poids du réel, se soumettant à l'exigence d'une expression concrète qui soit « belle », conformément d'ailleurs à la loi humaine d'incarnation.

Mais ai-je raison?

En fait, l'équivalence établie par saint Benoît entre « vie monastique » et « art spirituel » ne lui appartient pas en propre. Il l'a empruntée à une règle monastique, dite « Règle du Maître », datée en général des années 530-560, donc légèrement antérieure à sa propre Règle écrite sans doute vers 550-560.

Mais cette « Règle du Maître » ne fait elle-même que transmettre cette expression, car on la rencontre chez Cassien, né vers 365. Il faut signaler ce grand moine, car c'est surtout lui qui communiqua à l'Occident l'expérience monastique de l'Orient.

Enfin, à propos de sources, je m'arrêterai à Basile, dit Basile le Grand. Benoît éprouva une grande vénération pour cet évêque de Cappadoce né aux environs de 320. Il le cite dans sa Règle, le considérant comme le véritable législateur du monachisme oriental. Je n'ai pu vérifier si Basile parlait à la lettre d'« art spirituel » à propos de vie monastique mais, en tout cas, il nous a laissé cette consigne : « Il faut vivre en beauté et en harmonie. »

Cette rapide incursion dans la tradition monastique nous laisse déjà entrevoir dans quel sens l'alternative posée plus haut pourrait basculer.

Qu'en est-il maintenant du texte même de la Règle où nous trouvons cette expression : « art spirituel »? Il s'agit du chapitre quatrième, le premier des quatre chapitres consacrés par Benoît à la description de la physionomie spirituelle et humaine du moine. Ici, il procède par touches; tel un peintre impressionniste, il esquisse le portrait du moine en accumulant les notations morales et psychologiques, les alignant les unes à la suite des autres sans ordre apparent. Il est difficile de repérer une logique dans le déroulement de son discours. Mais il se montrera plus rigoureux, si l'on peut dire, dans les chapitres suivants, quand il reviendra sur les valeurs monastiques essentielles, selon lui : humilité, silence et obéissance.

Ce chapitre quatrième qui retient notre attention est le premier de la série formulant ce que l'on peut définir comme la doctrine spirituelle de saint Benoît. Il est donc important de noter le vocabulaire utilisé.

Ainsi, en conclusion de ce premier chapitre, il nous dit : « Tels sont les instruments de l'art spirituel. »

Ce texte, qui se présente comme le code éthique, législatif, de la conduite du moine, sous-tendu par une visée théologique, en sa phrase conclusive et synthétique, se trouve déplacé de cet ordre éthique pour être mis sur orbite esthétique!

Benoît propose donc une synthèse d'ordre esthétique pour un développement qui, jusqu'alors, s'est déroulé sur le plan éthique! Peut-on et même doit-on trouver une explication et une justification à ce déplacement de perspective? Benoît, homme d'ordre s'il en fut, ne se serait pas permis cette fantaisie littéraire sans raison.

Alors, regardons ce chapitre de plus près. Il s'agit d'un traité de morale, avons-nous dit, qui repose en majeure partie sur le Décalogue, tel qu'on peut le lire dans la Bible au livre du Deutéronome, chapitre 6, versets 16-20.

On peut ajouter que tout ce chapitre de la Règle est constitué de citations bibliques, qui reprennent elles-mêmes, pour les commenter et les développer, les dix Paroles du Commandement éthique transmises par Moïse au peuple juif. Il est même intéressant de noter que ces citations bibliques sont en majorité empruntées à l'Ancien Testament. Curieusement, la référence au Nouveau Testament est beaucoup plus discrète!

Dans ce qui va suivre, je vais prendre un risque, mais je le fais en m'appuyant sur l'autorité d'Emmanuel Lévinas qui a dit : « Ce n'est pas respecter un texte que de ne pas le solliciter. » C'est donc ce que je vais faire à propos de ce chapitre de la Règle qui nous occupe actuellement.

Je ne sais pas si Benoît connaissait la tradition rabbinique quant à l'interprétation biblique; pour ma part, c'est à cette tradition que je me réfère pour m'expliquer cette conclusion d'ordre esthétique concernant un discours se déroulant sur le plan éthique.

La tradition juive met très souvent en relation les dix Paroles créatrices, les dix Paroles par lesquelles le monde a surgi du néant et fut posé dans l'être « avec mesure, nombre et poids », nous dit le livre de la Sagesse (II, 20), et les dix Paroles du Décalogue, par lesquelles Dieu instaure le monde éthique. D'un côté, il s'agit de la création du monde de la nature, et de l'autre, de la création du monde de la culture, remis à la liberté cocréatrice de l'homme.

D'un monde à l'autre, il y a à la fois rupture et continuité. L'un ne peut pas subsister sans l'autre et réciproquement. L'homme ne peut réellement instaurer le monde éthique de la culture sans assumer dans cet acte créateur le monde du cosmos, celui de la nature qui lui a été confié et dont il est responsable, dont il devra rendre compte.

Ces deux textes s'appellent donc mutuellement. Ils doivent s'articuler l'un à l'autre pour délivrer la plénitude de sens qu'ils détiennent. Pour en revenir à mon propos, je retiens ceci : « Il nous faut nouer l'intériorité humaine et l'extériorité du cosmos et de la nature en une alliance dont aucun concept n'épuise le sens, car elle renvoie à l'Infini [1]. »

L'homme réalise cette articulation entre l'intérieur et l'extérieur par la médiation de son propre corps. Ce dernier, en effet, est à la jonction du dehors et du dedans. Il est le lieu de communication de l'un à l'autre, si bien qu'en lui l'extérieur s'intériorise, et l'intérieur s'extériorise.

Telle est bien la visée de l'esthétique. Pour s'en convaincre, il suffit d'entendre la signification du mot « art » lui-même en se référant à la racine latine dont il provient. D'ailleurs cette racine latine, *ars*, est toute proche de la racine grecque, et elle signifie étymologiquement : « ce qui joint ou conjoint les éléments d'un ensemble ». On pourrait penser aussi à la définition pythagoricienne de l'harmonie rapportée par Platon : « L'harmonie est l'unité des contraires [2]. »

On peut donc comprendre pourquoi Benoît fit choix de cette expression « art spirituel », de préférence à d'autres pourtant classiques, comme « vie intérieure » ou « vie spirituelle », pour définir son projet monastique et surtout pour en proposer la réalisation.

L'art spirituel vise à rendre toute la vie humaine épiphanique de l'Invisible divin qui l'habite. Ou encore, vise à la

---

1. J'emprunte cette citation à Catherine Chalier, dans son livre : *L'Alliance avec la nature*, p. 13.
2. Citation tirée du livre de S. Weil : *Intuitions préchrétiennes*, p. 129.

rendre totalement signifiante et rayonnante de la grâce intérieure qui la dynamise.

Tout ce qui précède avait pour but de saisir la signification que l'on peut donner à l'expression « art spirituel » dans le contexte de la Règle de saint Benoît. Par rapport à cet « art spirituel » spécifiquement monastique, il est possible de situer maintenant cette initiation à l'« art vocal » menée sous la conduite de mon professeur.

Ici, je vais partir de l'expérience même de ce travail, tel que je le vis, non sans mal ni douleur. C'est en tout cas ainsi que je l'ai ressenti au début. Comment se fait-il, en effet, que ce soit tout le corps, tout le physique qui se trouve de fait impliqué dans ce travail? Car c'est bien tout le corps qui réagit, gémit, depuis la nuque jusqu'aux talons, en suivant le parcours de la colonne vertébrale!

Ce travail sur la respiration et sur la voix serait-il en fait un travail sur tout le corps lui-même? Travail qui nous acheminerait à la saisie globale du physique par la médiation de la respiration/voix?

A partir de cette constatation, je me suis posé cette question : « Est-il possible d'effectuer une transposition du physique au méta-physique? » Ce sont bien là deux plans distincts mais cependant intimement liés l'un à l'autre. Ce travail sur la respiration/voix joue-t-il aussi cette fonction propédeutique à l'égard de toute la personne?

Avant de formuler une opinion personnelle, j'ai fait de nouveau un retour à la Règle, et plus particulièrement aux cinq chapitres mentionnés plus haut et qui nous livrent la pensée de Benoît quant à la physionomie morale et spirituelle du moine. On s'aperçoit qu'il revient très souvent sur l'activité de la parole, pour la réguler par rapport au bienfait du silence, d'une part, et aussi d'autre part, pour la réguler en son exercice même : « Quand et comment parler? »

Un passage a cependant attiré mon attention, parce qu'il ouvre une tout autre perspective. Le chapitre 19m, « De la tenue dans la célébration de la psalmodie », se clôt sur cette recommandation : « En psalmodiant, soyons tels que notre esprit soit en accord avec notre voix. » Nous y voici : il s'agit bien de la voix!

Depuis que je travaille sur ma voix, cette petite phrase a pris pour moi un relief et une importance extraordinaires. Je ne me lasse pas de « méditer » sur la pertinence de cette recommandation.

Jusqu'à présent, je l'entendais de façon purement linéaire, horizontalement, si je puis dire : il nous faut veiller à ce qu'il y ait correspondance entre la voix et l'esprit, autrement dit, que notre esprit soit bien présent à ce que dit la voix.

Maintenant, je ne peux plus entendre cette consigne sans y introduire une dimension de profondeur, et je me demande alors : « Où prends-tu ta voix, pour que ton esprit s'y accorde? »

Je pense au texte biblique qui nous rapporte l'appel adressé par Dieu à Abraham, lui disant : « Pars, va-t'en » (Genèse, XII, 1). Si je lis ce passage en hébreu, en m'en tenant au sens littéral, je comprends : « Pars, va vers toi-même. »

La tradition aime à voir, dans cet appel du patriarche, comme l'exemplaire de toute vocation humaine, et monastique en particulier.

La voix-que-je-parle s'interpose ici comme principe vérificateur; et à propos de ce « va vers toi-même », elle m'oblige à m'interroger : « Où prends-tu ta voix? Où en es-tu dans ce cheminement vers toi-même? » Il y a, pour moi, équivalence : là où je prends ma voix, c'est là où j'en suis à l'égard de moi-même, vers moi-même.

Si la voix me signale à quel niveau je suis présente à moi-même, ce qui peut se dire autrement : si tout mon corps est réellement présent dans ma voix, alors on devine la densité de présence, de rayonnement qui peut résulter de la vérité vécue d'une psalmodie dans laquelle « notre esprit est en accord avec notre voix »...

Je ne puis m'empêcher de citer ici un passage du Livre de la Splendeur ou *Zohar*, ce très célèbre commentaire rabbinique, où il est dit que l'homme est constitué de trois souffles : le souffle naturel, le souffle vital et le souffle ou âme supérieure : *nephech, roua'h* et *neshamah.* Ces trois souffles ou ces trois âmes sont compris l'un dans l'autre, tout en ayant chacune leur habitation propre. Pour être pleinement soi-même, il faut s'ancrer vitalement dans le souffle du bas, qui communique aux deux autres son propre dynamisme.

Ce souffle vital, je le vois volontiers s'exprimer dans le cri, qui traduit la force de la nature, à l'état brut si l'on peut dire. Il doit communiquer cette puissance et cette force à la voix articulée, la parole, qui marque l'entrée dans le monde de la culture, donc le dépassement du monde de la nature. Il ne s'agit pas d'opposer le cri au dire vocal, mais de faire passer cette puissance naturelle du cri dans la puissance maîtrisée de la parole.

C'est bien dans le cri, d'ailleurs, que Dieu créa, nous dit littéralement le texte de la Genèse, au chapitre premier. Mais ce Cri est en même temps Parole qui prononce le Nom.

De même, c'est « dans une Parole qui se prolonge à jamais », nous dit le midrasch, que Dieu prononça les dix Paroles du commandement éthique.

Il en va de même pour le priant. Le Psaume 3 nous le montre bien : c'est dans la mesure où l'homme sait jeter sa souffrance tout entière dans son cri, qu'il peut, de ce fait même, s'apaiser, tant est solide sa conviction d'avoir été entendu et exaucé. Tel l'archer, totalement présent dans sa flèche, il se retrouve alors lui-même au cœur de la cible visée.

Avant de terminer, je voudrais faire une dernière citation. Je l'emprunte à Boèce, auteur latin contemporain de Benoît. Il écrivit un traité sur la musique, dans lequel il propose une triple division de celle-ci : *musica mundana, musica humana* et *musica instrumentalis.* Je ne retiens que ce qu'il dit de la *musica humana,* celle qui constitue l'homme lui-même. « Elle suppose, d'une part, l'accord de l'âme et du corps et, d'autre part, l'harmonie entre toutes les facultés de l'âme. Cet accord intérieur comme cette harmonie cachée se manifestent précisément dans la voix, dans l'équilibre manifesté des harmoniques graves et aiguës qui la constituent [1]. »

---

1. Cité par M.-M. Davy, *Initiation à la symbolique romane*, p. 244.

En ces quelques pages, j'ai tenté de dire comment je vis et je pense ce travail sur la voix en liaison avec mon projet de vie monastique.

Je précise tout de suite qu'il s'agit d'un travail réalisé en groupe, même si, en raison de ma responsabilité de « formatrice », j'ai pu bénéficier, de façon plus intensive, des leçons de mon professeur de voix.

C'est tout le groupe qui aide chacune individuellement, pour son propre compte, si je puis dire, à cheminer ainsi vers elle-même, esprit et corps tout ensemble. Et nous réalisons, unanimement, à quel point ce fait de tendre à une présence totale de soi-même, dans notre propre voix, permet à la Parole de Dieu, passant à travers la nôtre, de devenir réellement manifestation et célébration d'une Présence.

En guise de conclusion, si je voulais, de façon très synthétique, enchaîner les différents moments de cette initiation à la voix, je pourrais proposer cette suite :

De la respiration au souffle, puis à la voix;

De la voix à la parole, tant parlée que chantée;

La parole, épiphanie d'une Présence!

Cette suite est logique, mais cette logique ne fait-elle pas quelque peu violence à l'expérience et au vécu? Ne serait-elle pas plus fidèle à cette expérience en se déroulant en sens inverse?

Essayons, en parlant de la « Parole » en son expression la plus épurée qu'est le chant. Le chant comme vocalisme pur, non syllabique, qui conduit au souffle vocalisé, et ainsi à la vibration, et au silence.

Je vais me permettre quelques remarques à propos de chacune des étapes de ce parcours.

Tout d'abord : « la présence ». Sans nier à la parole sa fonction épiphanique, il faut cependant confesser en Dieu un Excès existentiel, invisible et ineffable, se tenant en retrait de toute Révélation, si éclatante soit-elle.

Telle fut bien l'expérience de Moïse au Sinaï, quand il pressentit la présence divine dans la Nuée.

Tel fut aussi le cas d'Élie, quand il perçut cette même

Présence divine dans « Une voix de fin silence », ou « Voix d'un silence ténu ». Ainsi donc, à la relation Parole/Silence, on trouve comme correspondante cette autre relation Présence/Absence.

Quand on s'arrête à la Parole, à la « Parole de Dieu », la condition paradoxale de celle-ci attire tout de suite l'attention.

Ne qualifions-nous pas cette Parole de « Parole inspirée »? Or, il n'y a de parole humaine que portée par l'expir; l'émission de la parole se fait sur l'expir. Comment donc envisager l'émission de cette parole « inspirée », prenant appui sur l'inspir?

Comment comprendre ce phénomène? Est-ce que le Souffle divin, Silence, viendrait se joindre à notre inspir? Est-ce ainsi qu'Il viendrait investir nos paroles humaines, « expirées », leur insufflant ce pouvoir de signifier la Transcendance?

Le moment de la « voix » est le plus mystérieux et aussi, pour moi, le plus fascinant, mais c'est à son sujet que j'éprouve le plus vivement ma totale inexpérience.

Entre la « parole » et le « corps-respiration » se tient la « voix ». La voix s'origine en celui-ci et elle régit l'avènement de celle-là. Autant dire qu'elle occupe une position médiane, et qu'elle remplit de ce fait une fonction de médiation : intériorisation/extériorisation.

Respirer, inspirer, expirer, c'est se mettre en état, me semble-t-il, de vibration intérieure. En disant cela, j'essaie d'exprimer ce qui est au cœur de mon expérience actuelle. La qualité de la voix, que j'émets extérieurement, m'apparaît fondamentalement conditionnée par la qualité de la vibration silencieuse que je produis et ressens intérieurement.

C'est cela que je veux dire en attribuant à la voix cette double fonction d'immanence et d'émergence.

Stanislas Breton parlerait à son propos de pouvoir « métaphoral »; la voix signifiant à la fois notre « être-dans-un-corps » organique, physique et matériel, et notre « être-vers-un-ailleurs ». Mouvement métaphoral s'originant en notre corporéité la plus somatique et nous entraînant vers notre corporéité la plus radicale qui, elle, est « pneumatique » ou « spirituelle ».

Voix intérieure.

Voix silencieuse.

Voix inspirée.

« Vibre de silence, ô mon âme, vers Dieu » (Psaume 62, 2). Vibre de silence vers ce Dieu qui s'est révélé dans une « Voix d'un silence ténu » (Deuxième Livre des Rois, XIX, 12).

Entre le silence et la parole, je ferai aussi une place à la musique, en terminant sur une citation du grand philosophe juif Maimonide : « La seule façon dont nous puissions adéquatement parler de Dieu, c'est de choisir, pour en exprimer la réalité, une seule note musicale, que l'on mettrait de côté, qu'il serait interdit d'utiliser à d'autres fins et qui, résonnant à l'oreille de quelqu'un, contiendrait comme un symbole qui n'a aucune extension intellectuelle et de ce fait ne peut prêter à aucune erreur, aucune faute de jugement, à aucune attitude erronée de l'intelligence ou du cœur, et qui contiendrait pour nous le sens de ce que nous disons... »

V.
La voix initiatique

Au commencement était la Vibration

Il faut dépouiller le vieil homme pour en faire un « deux fois né ».

Ce principe initiatique bien connu s'applique parfaitement au travail de la voix tel que je l'entends. Qui est le vieil homme? Un personnage qui doit apprendre à mourir, à la voix fausse, étouffée dans un corps qu'ont déformé les tensions psychiques et les stéréotypes mentaux. Comment peut-il se reconstruire? En travaillant sur lui-même, c'est-à-dire en exerçant sa voix par le chant dans une attitude juste qui exige à la fois respiration abdominale, décontraction d'un schéma corporel correctement redressé et déconnexion de toute interaction affective et intellectuelle. Ce travail est-il bien initiatique? Oui, car il implique une concentration du chanteur au sens d'un *retour au centre* en vue d'un redéploiement de tout son être, ordonné autour de l'invariable milieu, afin que ce qui est en haut soit comme ce qui est en bas et inversement. Toute démarche initiatique s'opère degré par degré.

Le terme *degré* doit s'entendre dans le sens de marche d'escalier. Pour la compréhension de notre propos, le lecteur se représentera un escalier à trois volées : l'une comporte les trois premiers degrés, l'autre les deux suivants, la dernière les deux degrés restants. L'aspirant gravit les trois premières marches qui l'entraînent à l'ascèse du chant; il apprend à respirer, à concentrer le souffle, à laisser vibrer son instrument en force et en jugement. Après un premier palier, le chanteur grimpe les quatrième et cinquième degrés, qui correspondent à l'expansion du son et à la libération de la voix. A la suite d'une seconde plate-forme, le maître de la voix escalade les deux dernières marches de ce déambulatoire ascendant pour atteindre le chant spirituel et s'élever jusqu'au Verbe. Pourtant, la Voix n'est jamais vraiment réalisée; l'adepte, « celui qui a atteint », ne peut, en réalité, que tendre continuellement vers cet objectif utopique.

Quels sont ces sept degrés? La maîtrise de la respiration, du souffle, de la vibration, du son, de la voix et du chant qui culminent dans le Verbe. Le présent chapitre va s'efforcer de montrer comment la mise en œuvre de ces sept réalités symboliques est de nature à provoquer l'éveil de *l'élève,* de celui qui désire se mettre plus haut.

L'exercice du chant exige tout d'abord une pratique méditative du respiratoire profond, dans l'acception initiatique du terme méditer : *retourner au médium,* au milieu. Ce milieu de l'être humain est le ventre et non la poitrine. Cette respiration est phrénique et non thoracique. Le centre énergétique dont il s'agit est le ventre du bébé, le hara de la tradition japonaise, certainement pas le cœur et encore moins la tête, qui apparaissent périphériques dans la topographie corporelle. Respirer profondément, sans « rentrer le ventre », nécessite une prise au sol stable, un enracinement tellurique, jambes légèrement écartées à l'aplomb des épaules, et une attitude verticale juste, c'est-à-dire décrispée, débarrassée de toute « volonté » de se tenir droit. Le sujet doit avoir l'impression de peser de tout son poids et de s'élever de toute sa taille. Cette posture, qui n'est pas abandon mais réceptivité, prépare le chanteur à se purifier par l'air. Car la respiration est une purification de l'être. Il ne faut pas seulement, en l'occurrence, ressentir l'air comme un simple gaz, mais comme une sorte de grand souffle remplissant et animant tout l'espace intermédiaire ciel-terre. L'élément air est le milieu vital où l'homme évolue « comme un poisson dans l'eau ». Et la mer, sillonnée de courants, subit la pulsation régulière des marées. Ainsi le chanteur se sent-il enveloppé d'un fluide qui, loin d'être inerte, est perçu en tant que Souffle énergétique. La respiration devient, dès lors, le modèle même des échanges que l'homme entretient avec le milieu cosmique dans un incessant mouvement de captation-restitution ou, si l'état d'esprit le permet, de réception confiante et d'émission généreuse.

Respirer en connaissance de cause, c'est entrer dans le rythme de la vie. Le verbe respirer ne signifie-t-il pas d'abord « revenir à la vie »... comme un enfant qui naît, serions-nous tentés de dire. On notera aussi les sens primitifs d'inspirer (animer d'un Souffle créateur) et d'aspirer (porter ses désirs vers un objet) sans oublier qu'expirer veut parfois dire rendre son dernier soupir.

On affirme généralement que la respiration imprime au vivant une cadence binaire; symboliquement, l'inspir est vécu comme une renaissance, une recréation, une reformation de l'être qui emprunte son impulsion au fonds universel; par l'expir, dans une « petite mort », il abandonne la forme précédente, maintenant dépassée, qu'il restitue en dépôt. Mais, en réalité, les deux mouvements sont séparés par une pause de faible durée, presque imperceptible (qui peut être consciemment prolongée par l'apnée), moment d'équilibre mystérieux au cours duquel sont enregistrés la perception d'une limite, la sensation d'une sclérose et le besoin de renouvellement, en sorte que, du point de vue initiatique, la respiration, tout en obéissant à un mouvement binaire, manifeste en fait un rythme ternaire : inspiration-arrêt-expiration. Une dualité apparente se résout toujours, sur un autre plan, en triade occulte.

La respiration de l'être vivant répond au Souffle du Principe trinitaire. On sait qu'à la différence du mouvement respiratoire de l'expir, simple acte réflexe dans la plupart des cas, le souffle est défini, sur le plan profane, comme une expulsion volontaire. Et pourtant, la distinction entre l'exercice du souffle et celui de la respiration pourrait tenir dans cette formulation : « Je ressens ma respiration comme personnelle. C'est *ma* respiration. Le souffle est impersonnel. C'est le Souffle. Si intention il y a, ce n'est plus de la mienne qu'il s'agit. » Tout se passe comme si la production rythmée et répétitive du souffle, parce qu'elle exige une inspiration d'une profondeur, d'une qualité et d'une intensité particulières, mettait le chanteur en communication avec le k'i des Japonais, cette énergie qui irrigue tout l'espace « atmosphérique ». La Tradition insiste bien sur le fait que le contrôle de la circulation du Souffle permet celui des énergies vitales et leur purification, y compris la maîtrise du mental et l'ouverture aux influences d'en haut. Ces affirmations ne peuvent surprendre l'élève qui sait ce que les mots veulent dire : le radical *spir* du français « respirer » se retrouve dans le latin *spiritus* avec le sens primordial de « souffle donnant la vie ». Le grec *pneuma* et l'hébreu *ruah* décrivent la même notion d'un Souffle tendant vers le céleste. Les termes désignant le principe animateur du corps, reflet du précédent, signifient également souffle : *anima* et *psyché.* Quant au radical grec *phrên,* qui définit au départ le diaphragme, il prend ensuite le sens d'esprit en tant que siège de la pensée et des sentiments, inséparables ici d'un support physiologique qui n'est certes pas choisi au hasard [1]. Ces observations étymologiques montrent bien, confirmées encore par les mythes cosmogoniques, que toute création résulte d'un Souffle initial. Se rendant maître du souffle, discipline initiatique par excellence, le chanteur laisse entrer en lui la force venue d'en haut. A lui de la concentrer pour faire œuvre créatrice, par l'émission du son juste et parfait. Pour l'heure, il ne prend pas souffle, il est Souffle, mieux, il est insufflé.

Pour que du souffle naisse le son, la vibration, troisième étape du voyage intérieur, fait entrer en résonance la courbe corporelle dans son entier, des pieds au sommet du crâne, à partir du mouvement périodique des cordes vocales. Dans le cadre d'une démarche qui ne peut guère s'expliciter qu'en rendant un sens plus pur aux mots de la tribu, rappelons que vibrer signifie d'abord « lancer » et vibration, « lancement d'une arme de jet ». Voilà qui fait du chanteur à la fois un arc et un archer, et du son une flèche. On sait que, dans le tir à l'arc pratiqué en tant qu'art martial, l'archer s'identifie à son projectile et à sa cible, laquelle n'est atteinte qu'à condition de n'avoir souci ni du but, ni du tir. Cette attitude spirituelle non agissante consiste à laisser venir le souffle, à laisser passer l'énergie-son par le système phonatoire et, par cette prise, à laisser vibrer la corde de l'arc. Qui tire, qui chante? Quelque chose en moi qui n'est plus moi, mais qui cherche à atteindre le centre de l'Être après la traversée de mes ténèbres individuelles. La maîtrise de la vibration rappelle au chanteur cette image traditionnelle où le Souffle divin est représenté par un jet lumineux. Ainsi la flèche

---

1. A propos de hasard : on notera avec intérêt que, par une « coïncidence » vraiment étonnante, le radical *spir* se retrouve en latin et en grec pour décrire le mouvement hélicoïdal; il donne en français les mots spire, spirale : retour au centre, évolution à partir d'un centre.

enflammée de cet Archer prend-elle la direction précise de sa voix.

Par le son, le souffle change de nature : la restitution devient émission. Une création est inaugurée. La production du son est le début de l'Œuvre manifestée.

On sait que, dans toutes les mythologies, souffle et son se trouvent à l'origine du Cosmos. C'est par l'effet des vibrations rythmiques du Son primordial que le Verbe produit l'Univers. Le Son déploie dans le vide la puissance du Principe. Dès lors, l'homme n'accède pas à la Connaissance par une « vision intérieure » au sens optique du terme, mais bien plutôt par une perception auditive que certains adeptes nomment la « lumière auriculaire ». Pour que l'œil écoute et que l'oreille voie clair, le chant s'organise autour d'un mantra, formule sonore chargée d'une puissance telle qu'elle favorise la perception puis la reproduction du son intérieur dont rien ne peut être dit puisque, ineffable, il est audible seulement « par le cœur ».

L'émission du son juste, signe d'un accord instantané entre le Souffle universel et l'instrument corporel par lequel il transite et se révèle, jette les bases pneumophoniques sur lesquelles se reconstruit la voix vraie. Trouver la voix vraie, cinquième étape de la quête, nombre de l'homme, correspond à la phase de l'individuation initiatique. Le chanteur, au prix d'une mort à lui-même, abandonne l'idée fausse qu'il se faisait de lui-même, reflet des contraintes imposées par le jeu social et les exigences affectives.

Le masque protecteur *(persona)* est rejeté, la « personnalité » profane abandonnée au travers d'épreuves physiologiques et psychologiques souvent très dures; l'animal humain se déploie dans un nouvel état d'esprit et de corps. Le but est atteint par l'inlassable répétition de sons justes qui, imprimés dans la mémoire musculaire, influent peu à peu sur les attitudes, les réflexes respiratoires, la disponibilité émotionnelle et intellectuelle, de sorte que, petit à petit, les acquis phoniques se stabilisent dans la voix chantée, puis parlée. Pour l'observateur/auditeur externe, quelque chose d'indéfinissable a changé dans le maintien, dans la voix de son interlocuteur et même dans la tournure de son esprit et de son physique. Mais le véritable signe de la réalisation ne provient pas de témoignages extérieurs. Le signe, c'est le chant. Au degré de plénitude et de sérénité qu'il atteint, chaque pratiquant exercé entend bien que la voix est trouvée. La maîtrise du chant est source de joies qui dépassent de loin le domaine de l'esthétique. La pratique méditative du chant, dans toutes les cultures, a toujours tendu à relier l'Être universel à l'être pensant, ce dernier reconnaissant son obédience et l'exprimant par un souffle sonore qui répond à celui du Cosmos. Ainsi, tout chant, au sens où nous l'entendons ici, est acte d'amour et de religion : il recueille et relie.

Cette conception du chant est à rapprocher de celle de la musique selon Pythagore, harmonie numérique à l'image du Cosmos. L'exercice du chant en progression des graves aux aiguës, demi-ton par demi-ton, dans une posture de recueillement, induit la perception intuitive de la « musique des sphères », comme la nommait le maître de Crotone, ou du « chant des étoiles », comme d'autres dirent après lui. C'est que le corps de l'Homme, à ce stade, est reconstruit comme un instrument de musique répondant avec précision aux normes de la numérique sacrée.

Dans la septième et dernière phase de l'Œuvre, le chanteur, Temple intérieur réharmonisé, rencontre l'ultime symbole, vers lequel convergent le Souffle, la Vibration et le Son, à savoir le Verbe, le Logos, cette Parole où serait condensée toute l'information cosmique. Comment ne pas évoquer ici la quête de la Parole perdue, thème central de la Tradition initiatique? D'après le mythe, l'homme primitif connaissait. Il possédait la vibration primordiale, l'idiome paradisiaque compris des animaux eux-mêmes. Jean-Jacques Rousseau, puis maints auteurs contemporains, pensent que l'être humain commença par s'exprimer en chantant plutôt qu'en parlant, la voix modulée, composée d'accents et reflet de la personnalité profonde, ayant précédé le mot et les artifices de l'intellectualité.

Le langage des oiseaux, celui des initiés et de saint François d'Assise, n'est pas autre chose que ce langage d'avant Babel, enrichi de tout un potentiel animal, et qui fut perdu, s'étant fragmenté en dialectes ethniques. Comme certaines cultures chamaniques soumettent l'homme véritable à un apprentissage du langage des animaux, la pratique du Chant, dans sa plus haute acception, tente de renouer avec cet « art du son » où attitude, souffle et voix composent un code de pure communication.

Les sept degrés de la démarche initiatique une fois franchis, l'élève comprend enfin que le chant n'est pas le but, que le travail sur la voix est une œuvre « de longue haleine », d'im-pression et non d'ex-pression, que le chant n'est rien d'autre qu'un voyage intérieur de reconstruction de l'être. S'initier c'est se reconstruire soi-même, selon des paramètres techniques très précis et rigoureux, de proche en proche, d'imperfection en modification, à partir de l'invariable centre où se découvre en soi une Présence immanente et métamorphosante, celle du son fondamental.

Ce programme de recherche est, dans la tradition occidentale, synthétisé par la célèbre formule V.I.T.R.I.O.L., soumise pour méditation à l'élève qui veut mourir au monde des apparences :

> *Visita Interiorem Terrae Rectificandoque Invenies Occultum Lapidem.*
> Explore l'intérieur de la Terre et, en rectifiant, tu trouveras la Pierre cachée.

Il s'agit d'une légende au sens latin du terme *legenda* : « choses qui doivent être lues »; elle invite tout initiable à descendre dans la Terre pour y trouver la Pierre et la transformer. L'inhumation à laquelle il se prête ainsi est souvent assimilée à un retour dans la matrice tellurique où, telle une graine qui va germer, le néophyte se soumet, dans l'ombre, la chaleur et l'humidité, aux influx régénérateurs. On sait que le mot *néophyte* signifie en grec « nouvelle plante » et que toute éclosion s'opère à l'abri de la lumière, dans le monde chthonien qui représente un principe de perfection passive soumis à l'activité céleste. La semence, enfouie dans le sol, est en effet fécondée par la pluie et le soleil – les Eaux et le Feu d'en haut. La glaise où s'enfonce le néophyte est la substance universelle, la matière première dont l'Artiste potier s'est servi pour façonner l'homme, cette poussière dont nous sommes faits et à laquelle nous retournerons. Nous sommes énergie devenue matière animée et, le moment venu, nous réintégrerons l'énergie. Sur le plan humain, la Terre évoque donc l'organisme, au sens physiologique du terme, c'est-à-dire une condensation provisoire et partielle du Verbe.

Trouver la Pierre dans ce milieu tellurique, c'est partir en quête de l'*Omphalos*; dans toutes les traditions, la Pierre signale un Centre habité par la présence divine, et on la nomme souvent *maison de Dieu.* Elle représente un instrument de régénération caché en plein milieu de l'être. Il faut traverser les couches denses et obscures qui l'enserrent pour pouvoir l'atteindre. Mais, une fois découverte, encore informe, elle fait l'objet d'une rectification, au moyen des deux outils dont le tailleur de pierre est équipé : le maillet et le ciseau.

Le maillet apparaît comme un symbole ambivalent : force brutale et destructrice s'il est brandi par une main indigne, il peut aussi servir l'activité formatrice. Thor et Hephaistos s'en servent pour fabriquer la foudre et forger les métaux. Instrument sonore par excellence, le marteau alterne, par ses coups rythmés, des pauses d'un silence absolu que rien ne pourrait troubler. Le ciseau pénètre et modifie la matière; il est comparable à l'éclair qui tranche, découpe, sépare, distingue, mais reste inerte sans son symbole complémentaire; de la même manière, l'intellectualité discriminante est vaine sans l'appoint de l'énergie réalisatrice.

Dans le travail vocal aussi, il s'agit bien de descendre dans la terre, d'y trouver la Pierre et de la sculpter par les moyens appropriés. L'aspirant plonge au plus profond de son corps. La respiration abdominale, celle du nouveau-né, qu'il pratique assidûment, lui fait visiter son être physiologique et, comme dans le yoga, le conduit au centre de son corps où se trouve la Pierre des sages. La tradition orientale situe le centre de l'homme dans la zone ombilicale et l'appelle hara. C'est une sorte de noyau de force vitale où se focalisent les énergies sexuelles des deux premiers chakras et où prend naissance le flux respiratoire, sous la maîtrise du diaphragme central. La concentration du souffle en ce lieu permet à l'aspirant de prendre ses premiers contacts avec le son fondamental lié au k'i, cette énergie universelle dont se servent les adeptes des arts martiaux.

Mais ce centre est occulté; au cours du développement de l'animal humain, la vie mentale, avec ses émotions et ses crispations affectives correspondant aux chakras 3, 4, 5, perturbe constamment le respiratoire profond et l'écoulement harmonieux de la voix. Nous nous contentons généralement d'une respiration superficielle, thoracique, écourtée par les anxiétés et les tensions que lui imposent l'intellect et l'affectivité. Nous n'avons pour ainsi dire plus accès à la sérénité pneumophonique dont la calme ampleur ne procède que du ventre.

Pour libérer le hara de la gangue qui l'enveloppe, je dispose, moi aussi, de deux outils : le souffle et le son. Le souffle se pratique, en certaines circonstances, par de longues inspirations nasales en saccades, et le son est pareillement rythmé par l'émission d'un mantra. Cette discipline pneumophonique peut se révéler destructrice ou constructive, selon la manière dont elle s'opère; il s'agit de bien distinguer un inspir profond d'un inspir superficiel, un son vrai et bien dirigé d'un son faux, et de surveiller constamment l'attitude corporelle, afin qu'elle engendre les nécessaires nettoyages affectifs et ouvre l'individu aux influences d'en haut, reçues par les chakras 6 et 7.

Pour vérifier la rectitude de son travail, l'artisan tailleur de pierre dispose d'instruments : équerre, compas, niveau, perpendiculaire et règle, dont l'emploi opératif et symbolique est signalé dans toutes les traditions d'Orient et d'Occident [1]. L'équerre rectifie et ordonne la matière; elle permet d'y dégager l'angle et d'y tracer le carré. Le compas mesure et reporte les dimensions; il détermine un point originel et trace le cercle. Symbole du ciel et du temps, il marque l'emprise de l'esprit sur la matière. Le niveau, équerre du sommet de laquelle tombe un fil à plomb, définit l'horizontale à partir de la verticale, les bras de la croix à partir de sa colonne. La perpendiculaire, fil à plomb suspendu à un arceau, représente l'axe cosmique reliant les deux pôles, céleste et terrestre. Elle se

1. *Cf.* l'art chinois de l'époque Han.

rapporte à la loi fondamentale de toute construction, qui s'édifie en verticale avec le ciel. La règle du métier donne la ligne à suivre selon une progression corporelle, psychique et spirituelle précisément graduée.

A travers l'emploi de ses outils, l'artisan construit et se construit en fonction des formes géométriques du carré et du cercle, d'après l'harmonie de la croix équilibrée à six directions, et dans un accord entre la terre et le ciel.

Pendant le travail vocal, la posture du chanteur revêt une importance exceptionnelle; rappelons-en les composantes, qui s'inscrivent dans le schéma que viennent de tracer les outils initiatiques :

1. La recherche d'une verticalité corporelle vraie ne se sépare pas de la discipline respiratoire et sonore évoquée dans cet ouvrage; d'ailleurs, je dis souvent, à des élèves interloqués, qu'ils doivent « s'entraîner à avaler un fil à plomb ». Cette réalité géométrique se traduit physiologiquement : les tensions mentales accumulées au niveau des vertèbres dorsales et cervicales retournent à la terre, et le centre de gravité retombe dans la colonne lombo-sacrée.
2. Cette libération se double, aux extrémités du schéma corporel, d'un enracinement dans le nadir du sol et d'une élévation en taille vers le zénith.
3. L'expansion horizontale, de l'orient à l'occident et du midi au septentrion, restructure l'abdomen, les épaules, la nuque, les bras en croix qui ouvrent la cage thoracique et facilitent l'écoulement sonore à ce carrefour de toutes les tensions qu'est la zone cou-mâchoires.
4. La direction du son, celle du i et du k'i, passe de la verticale à l'horizontale par l'équerre gorge-bouche.

Le lecteur peut se représenter l'être vocal inscrit à la fois dans un *pentagone* et dans une *croisée d'ogives.* Le chanteur, représenté bras en croix et jambes écartées, coïncide exactement avec une étoile à cinq pointes : la

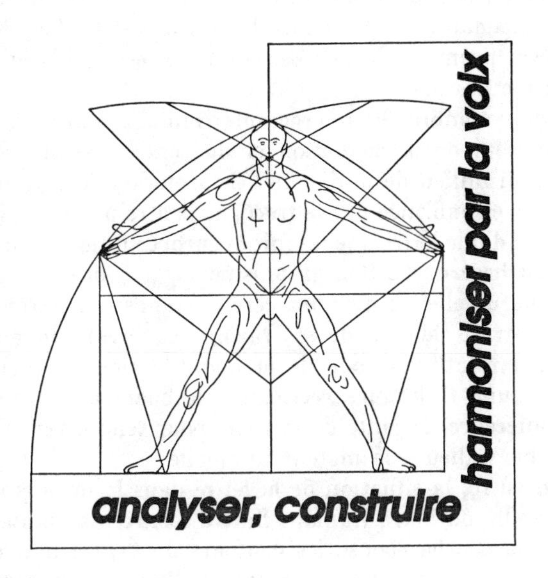
harmoniser par la voix
analyser, construire

tête dans celle du haut, les mains dans les deux latérales, les pieds dans les deux du bas. Cette figure tire son dynamisme de la synthèse de deux forces complémentaires présentes en l'homme, le *deux* terrestre et le *trois* céleste. Le pair correspond aux membres inférieurs, voués à la prise au sol et au déplacement dans un plan horizontal; l'impair désigne les membres supérieurs (consacrés aux relations dans tous les plans de l'espace) et le chef, dont le développement chez l'espèce humaine est lié à la manipulation des outils.

Cinq, nombre du microcosme humain équilibré, est aussi celui de la médiation et du centre, car il prend place au milieu de la dizaine. Cette notion de carrefour se trouve confirmée par le tracé, au centre pentagonal de l'étoile, d'une lettre que les initiés européens ne choisirent pas au hasard : G. Son graphisme suggère bien la symbolique qu'elle anime : un cercle (compas) interrompu par le tracé de l'un de ses rayons (équerre). Un mouvement rotatif (la roue de la manifestation) auquel se couple une trajectoire rectiligne : le chanteur quitte la circonférence, la jante de la roue, pour tendre vers l'invariable milieu – le moteur immobile

En outre, la situation de la lettre dans la topographie corporelle de l'être humain finit d'éclairer sa signification : la courbe épouse les contours du ventre humain, et le rayon donne accès au centre de l'étoile et du corps : le hara. L'image si parlante de la lettre G enclose dans le pentagramme donne la représentation la plus pure qui soit de l'Homme debout, croix équilibrée solidement plantée en terre et pointée vers le ciel parce que inspirée, de cette inspiration profonde qui vient du centre de l'Être. Jambes écartées à l'aplomb des épaules et bras à l'horizontale, l'homme inspire pour le chant et chante pour être inspiré. Le chant est à la fois éveil intérieur, quête initiatique et restitution du Souffle au principe par une meilleure connaissance du Son fondamental propre à chacun. De là viennent le rayonnement de l'étoile et celui du chanteur.

Par ce travail sur le souffle et le son, l'individu acquiert une nouvelle stature, une nouvelle stabilité, un nouveau statut. Son corps a changé, il tend à s'harmoniser avec son Être profond. L'impact des tensions musculaires sur le psychisme (et vice versa) commence à s'émousser, et la personnalité s'ouvre de plus en plus à des préoccupations d'ordre cosmogonique dont, la plupart du temps, elle ne s'était guère inquiétée jusque-là. Tels les prêtres égyptiens d'antan, qui ne pouvaient accéder à la fonction sacerdotale que s'ils chantaient juste, l'homme devient, par le souffle et le son, un être en harmonie vibratoire avec son instrument (c'est-à-dire avec son Temple intérieur) et avec le Temple de l'Univers. Le mot, accordé avec la vibration, devient juste, et l'homme peut s'en servir pour chanter dans le troisième Temple, y dédiant ses mélopées au Principe éternel. L'*ogive* évoque cet achèvement; les deux arcs brisés plongent en pointillés dans la terre, touchent à mi-hauteur le bout des doigts, se croisent au sommet de la voûte que forme la boîte crânienne et se prolongent à nouveau, en traits interrompus, dans le ciel. Le tracé, leitmotiv de l'art gothique, invite à sublimer la dualité [1].

Pour l'aider dans la reconstruction de son Temple intérieur, deux outils supplémentaires sont nécessaires à l'artiste [2]; ils lui permettent d'agir en jugement et en force : la règle, à nouveau, et le levier. La règle représente l'instrument édificateur du moi, qui mesure l'Être.

Effectivement, l'ouvrier vocal est maintenant capable

1. Ogive, du latin *obviare*, « s'opposer ».

2. Le mot « artiste » est pris ici dans son sens hermétique. Il s'applique à celui qui s'adonne au Grand Œuvre de la transmutation.

de procéder lui-même à ses propres investigations, à ses propres expériences. Il est sur le chemin. De plus en plus, il peut se jauger et développer sa sérénité intérieure. Au début, vis-à-vis de l'aspirant, le maître de chant joue un rôle de provocateur. Ensuite, il accompagne le chanteur, lui donnant surtout des occasions de s'exercer, d'approfondir et de stabiliser ses acquis pneumophoniques, musculaires et statiques. L'aide du maître reste nécessaire en tant que témoin de l'évolution intérieure et extérieure qui s'accomplit. Le travail sur la voix consiste à partir en quête d'un principe essentiel dont le souffle et le son sont représentatifs; la vérité intérieure de chaque individu se découvre à travers le rapport entre ces deux énergies. A ce stade, le chanteur ne contrôle plus sa voix, il est maîtrisé par « quelque chose » qui est sa voix. Cet événement est tellement déroutant pour l'élève qu'il doit lui être annoncé et commenté pour qu'il apprenne à le reconnaître : c'est le rôle du maître.

L'utilisation du levier montre que cette force instrumentale du souffle et du son devenus pression est mue et maîtrisée par une impulsion supérieure, qui s'exprime maintenant sans entrave, puisque l'ego est libéré. Le souffle circule librement dans le défilé oro-pharyngé, sans plus rencontrer aucune tension d'origine mentale ou affective. Il peut être utilisé pleinement et produire, avec une grande économie de moyens, un son toujours plus pur, toujours plus intérieur et direct, toujours plus vrai et plus sage. Dans le maniement du levier, il faut trouver le point d'appui juste, moyennant quoi la charge se soulève sans effort. Sur le plan physiologique, cette opération correspond à la juste bascule du bassin et, sur le plan énergétique, à l'utilisation de la force juste, cette force qui n'est plus la nôtre, mais vient d'ailleurs : il s'agit de l'énergie du k'i, couramment employée dans le tir à l'arc et dans les autres arts martiaux.

La maîtrise de l'art royal se manifeste symboliquement, dans la Tradition initiatique, par comparaison et substitution de l'impétrant avec l'Être universel qui meurt et renaît sans cesse à travers ses incarnations successives. Le rétablissement de cette synergie entre microcosme et macrocosme culmine, sur le plan vocal et sémantique, avec la quête de la Parole perdue ou langue des oiseaux, qui permet à l'adepte de communier avec tous les vivants. Cette réintégration en l'état édénique d'avant la confusion des langues, but ultime de toute vraie démarche initiatique, constitue aussi le terme du travail sur le souffle et le son.

Au départ d'un rééquilibrage de l'individu autour de son centre de gravité physiologique, les énergies conjuguées de l'inspir et de l'expir chanté dégagent la voix/voie, usent les tensions accumulées, laminent l'ego, restaurent la rectitude de l'Être, le remettent d'aplomb en le reliant au sol et au ciel. Peu à peu, la personne se reconstruit dans la juste perspective de l'Être, au fur et à mesure que le personnage et le paraître se dissolvent.

Ce travail provoque un éveil de l'Être intérieur par une perception aiguë des sensations de libération physiologique et des réticences émotionnelles qu'elles suscitent en réaction. Au fil des exercices, c'est la libération qui l'emporte et les blocages qui cèdent. Le chanteur tend vers une neutralité affective qui le rend plus disponible à de nouvelles émancipations corporelles, psychiques et spirituelles. De proche en proche, l'intérieur et l'extérieur s'unifient et s'harmonisent, en même temps que l'aspirant remonte le cours du flux respiratoire et phonique, jusqu'à la source de l'Être; il apprend à maîtriser le Son fondamental, sur lequel il veille constamment, afin d'aller toujours plus profond dans la quête de sa beauté.

Toute préoccupation parasitaire s'estompe devant ce dévoilement de l'Essentiel. L'élève, qui, jusque-là, fonctionnait à l'envers, opère un retournement qui le remet à sa place. Toute chose reprend alors son sens originel, c'est-à-dire que l'être humain respire dans le souffle même de l'Être universel, chante le chant même des étoiles. Le chant se voit, la lumière s'entend, le pentagramme rayonne autour de la lettre G.

Avant de conclure, je voudrais attirer l'attention du lecteur sur la polysémie, pas du tout gratuite, dont s'enrichit en français le mot « sens ». Les sens éprouvent les impressions que font les stimuli. Le bon sens donne capacité de bien juger. Chaque direction géométrique a deux sens opposés. Le sens de la vie est-il propre ou figuré? Le mot « sens » nous promène du monde des perceptions à celui des fins dernières, en passant par le jugement et par l'inversion d'une force. Mais, au départ, tout dépend de la saine acuité des cinq sens.

Le travail sur le souffle et le son met en évidence la mentalisation anxieuse des sens et permet, au fil des exercices, de leur rendre leur spontanéité naturelle en les réintégrant à l'harmonie entière du corps. Ainsi, informé par cinq sens vrais, l'Être essentiel a-t-il accès, dans le calme respiratoire retrouvé, au sixième : l'intuition psychique et peut-être, *s'il a l'âge,* au septième – l'intuition spirituelle.

D'un sens à l'autre, travail initiatique et travail vocal conduisent l'ouvrier à rectifier son matériau pour entrer en bonne intelligence avec lui, y sculpter la forme harmonieuse et, finalement, devenir signe. Cette transmutation proprement alchimique conditionne l'équilibre humain dans son incarnation présente et dans la qualité de son devenir. C'est pourquoi V.I.T.R.I.O.L., la formule initiatique qui inspire toute la démarche, se lit aussi V.I.T.R.I.O.L.V.M. par l'adjonction des deux mots *« Veram Medicinam »*. La formule hermétique complète signifie alors : Visite l'intérieur de la Terre et, en rectifiant, tu trouveras la Pierre occulte, la vraie médecine.

Repères bibliographiques

Catherine CHAUTARD, *Analyser, construire et harmoniser par la voix*. Mémoire de fin d'études, Université catholique de Louvain – Institut Marie Haps, 1991-1992.

Gérard DUBOIS, *Analyser, construire, harmoniser par la voix, et énergétique chinoise*. Mémoire de fin d'études. Université Louis Pasteur. Faculté de Médecine de Strasbourg. D.T.U. d'Acupuncture.

Kalfried Graf DÜRCKHEIM, *Hara – Centre vital de l'Homme*, Le Courrier du Livre, 1974.

E. HERRIGEL, *Le Zen dans l'art chevaleresque du tir à l'arc*, Dervy-Livres, collection Mystiques et Religions, 1970.

Serge MICHAEL, *La Voix de la vigilance intérieure*.

Annick de SOUZENELLE, *De l'Arbre de Vie au Schéma corporel – Le symbolisme du corps humain*, Éditions Dangles, collection Horizons ésotériques, 1977.

Serge WILFART, « Correction phonétique par l'éducation de la respiration », *Revue de Phonétique appliquée*, n°s 82, 83, 84, Université de l'État, Mons, Belgique, 1987.

Table

Remerciements

Je tiens à remercier toutes les personnes qui, par leurs compétences particulières et leur ouverture d'esprit, m'ont aidé à élargir sans cesse les perspectives de mon travail.

L'une d'entre elles mérite une mention toute particulière. Retourné à la tradition orale par l'effet de ma *vocation*, je n'aurais guère pu écrire ce livre moi-même. Seul, Guy Léga, ami de vingt années et compagnon de voyage intérieur, amoureux de la belle langue de surcroît, pouvait formuler mon expérience. Qu'il trouve ici, pour l'avoir si bien fait, l'expression de ma reconnaissance.

« *Espaces libres* »
au format de poche

DERNIERS TITRES PARUS

50. *La Psychologie de la divination,* de M.-L. von FRANZ.
51. *La Synchronicité, l'âme et la science,* ouvrage collectif.
52. *Islam, l'autre visage,* d'Eva de VITRAY-MEYEROVITCH.
53. *La Chronobiologie chinoise,* de Pierre CRÉPON et Gabriel FAUBERT.
54. *Sentences et proverbes de la sagesse chinoise,* choisis et adaptés par Bernard DUCOURANT.
55. *Vivre. Paroles pour une éthique du temps présent,* d'Albert SCHWEITZER.
56. *Jésus fils de l'homme,* de Khalil GIBRAN.
57. *Les Chemins du Zen,* de D. T. SUZUKI.
58. *Le 3e Souffle ou l'agir universel,* de Jeanne GUESNÉ.
59. *Le Testament de l'Ange. Les derniers jours de Gitta Mallasz,* de Bernard MONTAUD.
60. *Confiteor,* de Bernard BESRET.
61. *Les Mythes de l'Amour,* de Denis de ROUGEMONT.
62. *La Place de l'homme dans la nature,* du père TEILHARD DE CHARDIN, présenté par Jean ONIMUS.
63. *Communiquer pour vivre,* ouvrage collectif sous la dir. de Jacques SALOMÉ.
64. *Accroche ta vie à une étoile,* de Stan ROUGIER.
65. *Du bon usage des crises,* de Christiane SINGER
66. *Parole de terre. Une initiation africaine,* de Pierre RABHI.
67. *J'attends Quelqu'un*, de Xavier EMMANUELLI.
68. *Désert, déserts*, de Jean-Yves LELOUP.
69. *Le Graal,* de Jean MARKALE.
70. *Ultimes Paroles*, de KRISHNAMURTI.
71. *Moïse raconté par les Sages*, d'Edmond FLEG.
72. *Le Doigt et la Lune*, d'Alexandro JODOROWSKY.
73. *Thé et Tao, l'art chinois du thé*, de John BLOFELD.
74. *L'Égypte intérieure ou les dix plaies de l'âme,* d'A. de SOUZENELLE.
75. *L'Au-delà au fond de nous-mêmes. Initiation à la méditation,* d'A. et R. GOETTMANN.
76. *Le Soleil d'Allah brille sur l'Occident,* de S. HUNKE.

77. *Le Livre des prénoms bibliques et hébraïques*, de M.-A. OUAKNIN.
78. *Le Chant de l'Être*, de S. WILFART.
79. *La Parole au cœur du corps*, entretiens avec J. Mouttapa, d'A. de SOUZENELLE.
80. *Henri le Saux, le passeur entre deux rives*, de M.-M. DAVY.
81. *La petite Sainte Thérèse*, de M. VAN DER MEERSCH.
82. *Sectes, Églises et religions, éléments pour un discernement spirituel*, de J.-Y. LELOUP.
83. *À l'écoute du cœur*, de Mgr MARTINI.
84. *L'Oiseau et sa symbolique*, de M.-M. DAVY.
85. *Marcher, méditer*, de M. JOURDAN et J. VIGNE.
86. *Le Livre du sourire*, de C. de BARTILLAT.
87. *Le Couple intérieur*, ouvrage collectif sous la dir. de P. SALOMON.
88. *Nous avons tant de choses à nous dire*, de R. BENZINE et C. DELORME.
89. *Tous les matins de l'amour*, de J. SALOMÉ.

La composition de ce ouvrage
*a été réalisée par l'***Imprimerie Bussière**,
l'impression et le brochage ont été effectués
sur presse Cameron dans les ateliers
de **Bussière Camedan Imprimeries**
à Saint-Amand-Montrond (Cher),
pour le compte des Éditions Albin Michel.

Achevé d'imprimer en septembre 1998.
N° d'édition : 17803. N° d'impression : 984184/1.
Dépôt légal : septembre 1998.